한자 어휘

1권

한자 어휘 1권

발　행 | 2022년 12월 27일
저　자 | 서홍경
펴낸이 | 한건희
펴낸곳 | 주식회사 부크크
출판사등록 | 2014.07.15.(제2014-16호)
주　소 | 서울특별시 금천구 가산디지털1로 119 SK트윈타워 A동 305호
전　화 | 1670-8316
이메일 | info@bookk.co.kr

ISBN | 979-11-410-0881-9

www.bookk.co.kr

머리말

우리말의 70%가 한자어로 되어 있습니다. 한자 공부로 우리말의 어휘력을 늘릴 수 있는 책입니다. 각 한자의 훈, 음, 부수, 총획수, 관련 한자 어휘, 사전적 정의(참고문헌 : 국립국어원 표준국어대사전)를 정리했습니다.

한자 기초에 해당하는 1권부터 시작하여 2권, 3권 등, 연속 출간할 예정입니다. '가나다' 순으로 한자를 수록하였으며, 권당 100자 내외로 배정하였습니다. 각 한자마다 일곱 개의 한자 어휘를 넣어서 한자와 관련 어휘를 폭넓게 익힐 수 있습니다. 한자를 직접 쓰면서 익힐 수 있는 공간을 넣었습니다.

見 볼 견 / 뵐 현 / 見부수 / 총7획 — 見 見 見

① 의견 意見 — * 의견(意見) : 어떤 대상에 대하여 가지는 생각. — 意 意 — 意 見 — |뜻 의, 心부수, 총13획|

② 견해 見解 — * 견해(見解) : 어떤 사물이나 현상에 대한 자기의 생각. — 解 解 — 見 解 — |풀 해, 角부수, 총13획|

③ 발견 發見 — * 발견(發見) : 미처 못 찾았거나 아직 알려지지 않은 사물이나 현상, 사실 따위를 찾아냄. — 發 發 — 發 見 — |필 발, 癶부수, 총12획|

④ 회견 會見 — * 회견(會見) : 일정한 절차를 거쳐서 서로 만나 의견이나 견해를 밝힘. 또는 그런 모임. — 會 會 — 會 見 — |모일 회, 曰부수, 총13획|

⑤ 편견 偏見 — * 편견(偏見) : 공정하지 못하고 한쪽으로 치우친 생각. — 偏 偏 — 偏 見 — |치우칠 편, 人부수, 총11획|

⑥ 이견 異見 — * 이견(異見) : 어떠한 의견에 대한 다른 의견. — 異 異 — 異 見 — |다를 이, 田부수, 총11획|

⑦ 견학 見學 — * 견학(見學) : 실지로 보고 그 일에 관한 구체적인 지식을 넓힘. — 學 學 — 見 學 — |배울 학, 子부수, 총16획|

1. 대표 한자
2. 훈
3. 음
4. 부수
5. 총획수
6. 대표 한자 쓰기 공간
7. 관련 한자 어휘 일곱 개
8. 사전적 정의
9. 관련 어휘의 한자 쓰기 공간
10. '가나다' 순으로 다음 한자 배열

초등학생부터 중학생, 고등학생, 대학생, 성인에 이르기까지 한자 어휘를 익힐 수 있는 보람된 책이 되었으면 좋겠습니다.

2022. 12.
편저자 씀

차 례

번호 한 자

한 자 어 휘

1권

可

옳을 가
口부수
총5획

可 可 可

① 가능

可能

* 가능(可能) : 할 수 있거나 될 수 있음.

能 能

[능할 능, 肉부수, 총10획]

可 能

② 불가

不可

* 불가(不可) : 옳지 않음. 가능하지 않음.

不 不

[아닐 불, 一부수, 총4획]

不 可

③ 허가

許可

* 허가(許可) : 행동이나 일을 하도록 허용함.

許 許

[허락할 허, 言부수, 총11획]

許 可

④ 인가

認可

* 인가(認可) : 인정하여 허가함.

認 認

[알 인, 言부수, 총14획]

認 可

⑤ 가부

可否

* 가부(可否) : 옳고 그름. 찬성과 반대를 아울러 이르는 말.

否 否

[아닐 부, 口부수, 총7획]

可 否

⑥ 가용

可用

* 가용(可用) : 사용할 수 있음.

用 用

[쓸 용, 用부수, 총5획]

可 用

⑦ 가시

可視

* 가시(可視) : 눈으로 볼 수 있는 것.

視 視

[볼 시, 見부수, 총12획]

可 視

家

집 가
宀부수
총10획

家 家 家

① 초가
草家
* 초가(草家) : 짚이나 갈대 따위로 지붕을 이은 집.
草 草 | 草 家
[풀 초, 艸부수, 총10획]

② 생가
生家
* 생가(生家) : 어떤 사람이 태어난 집.
生 生 | 生 家
[날 생, 生부수, 총5획]

③ 상가
商家
* 상가(商家) : 이익을 얻으려고 물건을 사서 파는 집.
商 商 | 商 家
[장사 상, 口부수, 총11획]

④ 가족
家族
* 가족(家族) : 주로 부부를 중심으로 한, 친족 관계에 있는 사람들의 집단. 또는 그 구성원.
族 族 | 家 族
[겨레 족, 方부수, 총11획]

⑤ 가정
家庭
* 가정(家庭) : 한 가족이 생활하는 집.
庭 庭 | 家 庭
[뜰 정, 广부수, 총10획]

⑥ 가구
家具
* 가구(家具) : 집안 살림에 쓰는 기구.
具 具 | 家 具
[갖출 구, 八부수, 총8획]

⑦ 작가
作家
* 작가(作家) : 문학 작품, 사진, 그림, 조각 따위의 예술품을 창작하는 사람.
作 作 | 作 家
[지을 작, 人부수, 총7획]

03

各

각각 각
口부수
총6획

各 各 各

① 각자
各自
* 각자(各自) : 각각의 자기 자신.
自 自
[스스로 자, 自부수, 총6획]

② 각지
各地
* 각지(各地) : 각 지방. 여러 곳.
地 地
[땅 지, 土부수, 총6획]

③ 각국
各國
* 각국(各國) : 각 나라. 여러 나라.
國 國
[나라 국, 口부수, 총11획]

④ 각계
各界
* 각계(各界) : 사회의 각 분야.
界 界
[경계 계, 田부수, 총9획]

⑤ 각층
各層
* 각층(各層) : 각각의 계층. 여러 계층.
層 層
[층 층, 尸부수, 총15획]

⑥ 각양
各樣
* 각양(各樣) : 각기 다른 여러 가지 모양.
樣 樣
[모양 양, 木부수, 총15획]

⑦ 각색
各色
* 각색(各色) : 갖가지의 빛깔. 온갖 종류. 여러 종류.
色 色
[빛 색, 色부수, 총6획]

角

뿔 각
角부수
총7획

角 角 角

① 삼각
三角
* 삼각(三角) : 세 개의 각.
三 三
三 角
[석 삼, 一부수, 총3획]

② 각도
角度
* 각도(角度) : 한 점에서 갈리어 나간 두 직선의 벌어진 정도. 생각의 방향이나 관점.
度 度
角 度
[법도 도, 广부수, 총9획]

③ 직각
直角
* 직각(直角) : 두 직선이 만나서 이루는 90도의 각.
直 直
直 角
[곧을 직, 目부수, 총8획]

④ 다각
多角
* 다각(多角) : 여러 개의 각. 여러 방면이나 부문.
多 多
多 角
[많을 다, 夕부수, 총6획]

⑤ 각목
角木
* 각목(角木) : 모서리를 모가 나게 깎은 나무.
木 木
角 木
[나무 목, 木부수, 총4획]

⑥ 각피
角皮
* 각피(角皮) : 생물의 몸 표면 세포에서 분비하여 생긴 딱딱한 층.
皮 皮
角 皮
[가죽 피, 皮부수, 총5획]

⑦ 두각
頭角
* 두각(頭角) : 뛰어난 학식이나 재능을 비유적으로 이르는 말. 짐승의 머리에 있는 뿔.
頭 頭
頭 角
[머리 두, 頁부수, 총16획]

05

間

사이 간
門부수
총12획

間 間 間

① 시간

時間

* 시간(時間) : 어떤 시각에서 어떤 시각까지의 사이.

時 時

[때 시, 日부수, 총10획]

時 間

② 주간

晝間

* 주간(晝間) : 먼동이 터서 해가 지기 전까지의 동안.

晝 晝

[낮 주, 日부수, 총11획]

晝 間

③ 야간

夜間

* 야간(夜間) : 해가 진 뒤부터 먼동이 트기 전까지의 동안.

夜 夜

[밤 야, 夕부수, 총8획]

夜 間

④ 간식

間食

* 간식(間食) : 끼니와 끼니 사이에 음식을 먹음. 또는 그 음식.

食 食

[먹을 식, 食부수, 총9획]

間 食

⑤ 공간

空間

* 공간(空間) : 아무것도 없는 빈 곳. 물리적으로나 심리적으로 널리 퍼져 있는 범위.

空 空

[빌 공, 穴부수, 총8획]

空 間

⑥ 중간

中間

* 중간(中間) : 두 사물의 사이.

中 中

[가운데 중, 丨부수, 총4획]

中 間

⑦ 미간

眉間

* 미간(眉間) : 두 눈썹의 사이.

眉 眉

[눈썹 미, 目부수, 총9획]

眉 間

看

볼 간
目부수
총9획

看 看 看

① 간호

看護

* 간호(看護) : 다쳤거나 앓고 있는 환자나 노약자를 보살피고 돌봄.

護 護

看 護

[보호할 호, 言부수, 총21획]

② 간병

看病

* 간병(看病) : 앓는 사람이나 다친 사람의 곁에서 돌보고 시중을 듦.

病 病

看 病

[병들 병, 疒부수, 총10획]

③ 간수

看守

* 간수(看守) : 보살피고 지킴.

守 守

看 守

[지킬 수, 宀부수, 총6획]

④ 간과

看過

* 간과(看過) : 큰 관심 없이 대강 보아 넘김.

過 過

看 過

[지날 과, 辵부수, 총13획]

⑤ 간판

看板

* 간판(看板) : 기관, 상점, 영업소 따위에서 이름이나 판매 상품, 업종 따위를 써서 사람들의 눈에 잘 뜨이게 걸거나 붙이는 표지.

板 板

看 板

[널빤지 판, 木부수, 총8획]

⑥ 간파

看破

* 간파(看破) : 속내를 꿰뚫어 알아차림.

破 破

看 破

[깨뜨릴 파, 石부수, 총10획]

⑦ 참간

參看

* 참간(參看) : 어떤 자리에 직접 나아가서 봄.

參 參

參 看

[참여할 참, 厶부수, 총11획]

07

干

방패 간
干부수
총3획

干

① 간지
干支

* 간지(干支) : 천간과 지지.

支

[지탱할 지, 支부수, 총4획]

② 천간
天干

* 천간(天干) : 육십갑자의 위 단위를 이루는 요소. 갑을병정무기경신임계.

天

[하늘 천, 大부수, 총4획]

③ 간만
干滿

* 간만(干滿) : 간조와 만조를 아울러 이르는 말.

滿

[찰 만, 水부수, 총14획]

④ 간척
干拓

* 간척(干拓) : 바다나 호수의 일부를 둑으로 막고, 그 안의 물을 빼내어 육지로 만드는 일.

拓

[넓힐 척, 手부수, 총8획]

⑤ 간섭
干涉

* 간섭(干涉) : 직접 관계가 없는 남의 일에 부당하게 참견함.

涉

[건널 섭, 水부수, 총10획]

⑥ 약간
若干

* 약간(若干) : 얼마 되지 않음.

若

[같을 약, 艸부수, 총9획]

⑦ 여간
如干

* 여간(如干) : 그 상태가 보통으로 보아 넘길 만한 것임을 나타내는 말.

如

[같을 여, 女부수, 총6획]

甘

달 감
甘부수
총5획

甘 甘 甘

① 감초

甘草

* 감초(甘草) : 콩과의 여러해살이풀.

草 草

甘 草

[풀 초, 艸부수, 총10획]

② 감언이설

甘言利說

* 감언이설(甘言利說) : 귀가 솔깃하도록 남의 비위를 맞추거나 이로운 조건을 내세워 꾀는 말.

言 言 利 利 說 說

甘 言 利 說

[말씀 언, 言부수, 총7획] [이로울 리, 刀부수, 총7획] [말씀 설, 言부수, 총14획]

③ 감우

甘雨

* 감우(甘雨) : 때를 잘 맞추어 알맞게 내리는 비.

雨 雨

甘 雨

[비 우, 雨부수, 총8획]

④ 감미

甘味

* 감미(甘味) : 설탕, 꿀 따위의 당분이 있는 것에서 느끼는 맛.

味 味

甘 味

[맛 미, 口부수, 총8획]

⑤ 감주

甘酒

* 감주(甘酒) : 엿기름을 우린 물에 밥알을 넣어 식혜처럼 삭혀서 끓인 음식.

酒 酒

甘 酒

[술 주, 酉부수, 총10획]

⑥ 감고

甘苦

* 감고(甘苦) : 단맛과 쓴맛을 아울러 이르는 말. 즐거움과 괴로움을 비유적으로 이르는 말.

苦 苦

甘 苦

[쓸 고, 艸부수, 총9획]

⑦ 감수

甘受

* 감수(甘受) : 책망이나 괴로움 따위를 달갑게 받아들임.

受 受

甘 受

[받을 수, 又부수, 총8획]

甲

갑옷 갑
田부수
총5획

甲 甲 甲

① 갑을

甲乙

* 갑을(甲乙) : 갑과 을을 아울러 이르는 말.

甲 乙

乙 乙

[새 을, 乙부수, 총1획]

② 갑자

甲子

* 갑자(甲子) : 육십갑자의 첫째.

甲 子

子 子

[아들 자, 子부수, 총3획]

③ 회갑

回甲

* 회갑(回甲) : 육십갑자의 '갑(甲)'으로 되돌아 온다는 뜻으로, 예순한 살을 이르는 말.

回 甲

回 回

[돌아올 회, 口부수, 총6획]

④ 동갑

同甲

* 동갑(同甲) : 육십갑자가 같다는 뜻으로, 같은 나이를 이르는 말. 또는 나이가 같은 사람.

同 甲

同 同

[같을 동, 口부수, 총6획]

⑤ 갑골

甲骨

* 갑골(甲骨) : 거북의 등딱지와 짐승의 뼈를 아울러 이르는 말.

甲 骨

骨 骨

[뼈 골, 骨부수, 총10획]

⑥ 갑판

甲板

* 갑판(甲板) : 군함과 같은 큰 배위에 나무나 철판으로 깔아 놓은 넓고 평평한 바닥.

甲 板

板 板

[널빤지 판, 木부수, 총8획]

⑦ 철갑

鐵甲

* 철갑(鐵甲) : 쇠로 둘러씌운 것.

鐵 甲

鐵 鐵

[쇠 철, 金부수, 총21획]

康

편안할 강
广부수
총11획

康

① 건강
健康
* 건강(健康) : 정신적으로나 육체적으로 아무 탈이 없고 튼튼함. 또는 그런 상태.
健
[굳셀 건, 人부수, 총11획]

② 강녕
康寧
* 강녕(康寧) : 몸이 건강하고 마음이 편안함.
寧
[편안할 녕, 宀부수, 총14획]

③ 소강
小康
* 소강(小康) : 병이 조금 나아진 기색이 있음. 소란, 분란, 혼란 따위가 그치고 조금 잠잠함.
小
[작을 소, 小부수, 총3획]

④ 강년
康年
* 강년(康年) : 곡식이 잘 자라고 잘 여물어 평년보다 수확이 많은 해.
年
[해 년, 干부수, 총6획]

⑤ 평강
平康
* 평강(平康) : 걱정이나 탈이 없음. 또는 무사히 잘 있음.
平
[평평할 평, 干부수, 총5획]

⑥ 강락
康樂
* 강락(康樂) : 몸이 편안하여 마음이 즐거움.
樂
[즐거울 락, 木부수, 총15획]

⑦ 강보
康保
* 강보(康保) : 편안히 보전함.
保
[보전할 보, 人부수, 총9획]

江

강
강
水부수
총6획

江

① 강산
江山
* 강산(江山) : 강과 산이라는 뜻으로, 자연의 경치를 이르는 말.
山
[뫼 산, 山부수, 총3획]

② 강촌
江村
* 강촌(江村) : 강가에 있는 마을.
村
[마을 촌, 木부수, 총7획]

③ 강류
江流
* 강류(江流) : 강물의 흐름.
流
[흐를 류, 水부수, 총10획]

④ 한강
漢江
* 한강(漢江) : 우리나라 중부를 흐르는 강.
漢
[한나라 한, 水부수, 총14획]

⑤ 강변
江邊
* 강변(江邊) : 강의 가장자리에 잇닿아 있는 땅. 또는 그 부근.
邊
[가 변, 辵부수, 총19획]

⑥ 강폭
江幅
* 강폭(江幅) : 강을 가로질러 잰 길이. 강의 너비를 이른다.
幅
[폭 폭, 巾부수, 총12획]

⑦ 도강
渡江
* 도강(渡江) : 강을 건넘.
渡
[건널 도, 水부수, 총12획]

開

열 개
門부수
총12획

開

① 개교
開校
* 개교(開校) : 학교를 새로 세워 처음으로 운영을 시작함.
校
[학교 교, 木부수, 총10획]

② 개학
開學
* 개학(開學) : 학교에서 방학, 휴교 따위에 한동안 쉬었다가 다시 수업을 시작함.
學
[배울 학, 子부수, 총16획]

③ 개화
開花
* 개화(開花) : 풀이나 나무의 꽃이 핌.
花
[꽃 화, 艸부수, 총8획]

④ 개업
開業
* 개업(開業) : 영업을 처음 시작함.
業
[업 업, 木부수, 총13획]

⑤ 개발
開發
* 개발(開發) : 토지나 천연자원 따위를 유용하게 만듦.
發
[필 발, 癶부수, 총12획]

⑥ 전개
展開
* 전개(展開) : 열리어 나타냄. 시작하여 벌임. 내용을 진전시켜 펴 나감.
展
[펼 전, 尸부수, 총10획]

⑦ 공개
公開
* 공개(公開) : 어떤 사실이나 사물, 내용 따위를 여러 사람에게 널리 터놓음.
公
[공변될 공, 八부수, 총4획]

改

고칠
개
攴부수
총7획

改	改	改				

① 개명
改名

* 개명(改名) : 이름을 고침.

名	名					改	名

[이름 명, 口부수, 총6획]

② 개사
改詞

* 개사(改詞) : 노랫말을 고치거나 다시 지음.

詞	詞					改	詞

[말씀 사, 言부수, 총12획]

③ 개정
改正

* 개정(改正) : 주로 문서의 내용 따위를 고쳐 바르게 함.

正	正					改	正

[바를 정, 止부수, 총5획]

④ 개량
改良

* 개량(改良) : 나쁜 점을 보완하여 더 좋게 고침.

良	良					改	良

[어질 량, 艮부수, 총7획]

⑤ 개혁
改革

* 개혁(改革) : 제도나 기구 따위를 새롭게 뜯어고침.

革	革					改	革

[가죽 혁, 革부수, 총9획]

⑥ 개선
改善

* 개선(改善) : 잘못된 것이나 부족한 것, 나쁜 것 따위를 고쳐 더 좋게 만듦.

善	善					改	善

[착할 선, 口부수, 총12획]

⑦ 개조
改造

* 개조(改造) : 고쳐 만들거나 바꿈.

造	造					改	造

[지을 조, 辵부수, 총11획]

介

끼일 개
人부수
총4획

① 개입 介入

* 개입(介入) : 자신과 직접적인 관계가 없는 일에 끼어듦.

[들 입, 入부수, 총2획]

② 일개 一介

* 일개(一介) : 보잘것없는 한 낱.

[하나 일, 一부수, 총1획]

③ 개재 介在

* 개재(介在) : 어떤 것들 사이에 끼여 있음.

[있을 재, 土부수, 총6획]

④ 중개 仲介

* 중개(仲介) : 제삼자로서 두 당사자 사이에 서서 일을 주선함.

[버금 중, 人부수, 총6획]

⑤ 소개 紹介

* 소개(紹介) : 둘 사이에서 양편의 일이 진행되게 주선함.

[이을 소, 糸부수, 총11획]

⑥ 매개 媒介

* 매개(媒介) : 둘 사이에서 양편의 관계를 맺어 줌.

[중매 매, 女부수, 총12획]

⑦ 개립 介立

* 개립(介立) : 혼자 힘으로 섬. 또는 그렇게 일함. 둘 사이에 끼어 섬.

[설 립, 立부수, 총5획]

客

손 객
宀부수
총9획

客

① 객실

客室

* 객실(客室) : 손님을 거처하게 하거나 접대할 수 있도록 정해 놓은 방.

室

[집 실, 宀부수, 총9획]

② 승객

乘客

* 승객(乘客) : 차, 배, 비행기 따위의 탈것을 타는 손님.

乘

[탈 승, 丿부수, 총10획]

③ 여객

旅客

* 여객(旅客) : 기차, 비행기, 배 따위로 여행하는 사람.

旅

[나그네 려, 方부수, 총10획]

④ 객차

客車

* 객차(客車) : 여객을 태우는 찻간.

車

[수레 차, 車부수, 총7획]

⑤ 객석

客席

* 객석(客席) : 극장 따위에서 손님이 앉는 자리.

席

[자리 석, 巾부수, 총10획]

⑥ 객지

客地

* 객지(客地) : 자기 집을 멀리 떠나 임시로 있는 곳.

地

[땅 지, 土부수, 총6획]

⑦ 객체

客體

* 객체(客體) : 의사나 행위가 미치는 대상.

體

[몸 체, 骨부수, 총23획]

去

갈 거
厶부수
총5획

去	去	去				

① 과거
過去
* 과거(過去) : 이미 지나간 때.
[지날 과, 辵부수, 총13획]

② 거래
去來
* 거래(去來) : 주고받음. 또는 사고팖.
[올 래, 人부수, 총8획]

③ 수거
收去
* 수거(收去) : 거두어 감.
[거둘 수, 攴부수, 총6획]

④ 제거
除去
* 제거(除去) : 없애 버림.
[덜 제, 阜부수, 총10획]

⑤ 소거
消去
* 소거(消去) : 글자나 그림 따위가 지워짐. 또는 그것을 지워 없앰.
[사라질 소, 水부수, 총10획]

⑥ 철거
撤去
* 철거(撤去) : 건물, 시설 따위를 무너뜨려 없애거나 걷어치움.
[거둘 철, 手부수, 총15획]

⑦ 퇴거
退去
* 퇴거(退去) : 있던 자리에서 옮겨 가거나 떠남.
[물러날 퇴, 辵부수, 총10획]

巨

클
거
工부수
총5획

巨	巨	巨				

① 거대
巨大

* 거대(巨大) : 엄청나게 큼.

巨 大

大 大

[큰 대, 大부수, 총3획]

② 거인
巨人

* 거인(巨人) : 몸이 아주 큰 사람.

巨 人

人 人

[사람 인, 人부수, 총2획]

③ 거목
巨木

* 거목(巨木) : 굵고 큰 나무.

巨 木

木 木

[나무 목, 木부수, 총4획]

④ 거물
巨物

* 거물(巨物) : 큰 물건. 세력이나 학문 따위가 뛰어나 사회적으로 영향력이 큰 인물.

巨 物

物 物

[만물 물, 牛부수, 총8획]

⑤ 거장
巨匠

* 거장(巨匠) : 예술, 과학 따위의 어느 일정 분야에서 특히 뛰어난 사람.

巨 匠

匠 匠

[장인 장, 匚부수, 총6획]

⑥ 거금
巨金

* 거금(巨金) : 많은 돈.

巨 金

金 金

[쇠 금, 金부수, 총8획]

⑦ 거액
巨額

* 거액(巨額) : 아주 많은 액수의 돈.

巨 額

額 額

[이마 액, 頁부수, 총18획]

居

살 거
尸부수
총8획

居	居	居				

① 거실

居室

* 거실(居室) : 거처하는 방. 가족이 일상 모여서 생활하는 공간.

室 室

[집 실, 宀부수, 총9획]

② 거처

居處

* 거처(居處) : 일정하게 자리를 잡고 사는 일. 또는 그 장소.

處 處

[곳 처, 虍부수, 총11획]

③ 주거

住居

* 주거(住居) : 일정한 곳에 머물러 삶. 또는 그런 집.

住 住

[살 주, 人부수, 총7획]

④ 동거

同居

* 동거(同居) : 한집이나 한방에서 같이 삶.

同 同

[같을 동, 口부수, 총6획]

⑤ 별거

別居

* 별거(別居) : 부부나 한집안 식구가 따로 떨어져 삶.

別 別

[다를 별, 刀부수, 총7획]

⑥ 독거

獨居

* 독거(獨居) : 혼자 삶. 또는 홀로 지냄.

獨 獨

[홀로 독, 犬부수, 총16획]

⑦ 기거

起居

* 기거(起居) : 일정한 곳에서 먹고 자고 하는 따위의 일상적인 생활을 함.

起 起

[일어날 기, 走부수, 총10획]

巾

수건 건
巾부수
총3획

巾 巾 巾

① 수건 手巾

* 수건(手巾) : 얼굴이나 몸을 닦기 위하여 만든 천 조각.

手 手 手 巾

[손 수, 手부수, 총4획]

② 두건 頭巾

* 두건(頭巾) : 헝겊 따위로 만들어서 머리에 쓰는 물건을 통틀어 이르는 말.

頭 頭 頭 巾

[머리 두, 頁부수, 총16획]

③ 의건 衣巾

* 의건(衣巾) : 의복과 수건을 아울러 이르는 말.

衣 衣 衣 巾

[옷 의, 衣부수, 총6획]

④ 망건 網巾

* 망건(網巾) : 상투를 튼 사람이 머리에 두르는 그물처럼 생긴 물건.

網 網 網 巾

[그물 망, 糸부수, 총14획]

⑤ 상건 床巾

* 상건(床巾) : 차려 놓은 음식에 먼지가 앉지 않도록 상을 덮는 데에 쓰는 보자기.

床 床 床 巾

[평상 상, 广부수, 총7획]

⑥ 청건 青巾

* 청건(青巾) : 머리에 쓰던 푸른색의 건.

青 青 青 巾

[푸를 청, 青부수, 총8획]

⑦ 흑건 黑巾

* 흑건(黑巾) : 검은 빛을 띤 쓰개의 하나.

黑 黑 黑 巾

[검을 흑, 黑부수, 총12획]

犬

개
견
犬부수
총4획

犬

① 명견

名犬

* 명견(名犬) : 혈통이 좋은 개.

名

[이름 명, 口부수, 총6획]

② 견공

犬公

* 견공(犬公) : 개를 의인화하여 높여 이르는 말.

公

[공변될 공, 八부수, 총4획]

③ 성견

成犬

* 성견(成犬) : 다 자란 개.

成

[이룰 성, 戈부수, 총7획]

④ 군견

軍犬

* 군견(軍犬) : 군사적 목적을 위하여 특별한 훈련을 시킨 개.

軍

[군사 군, 車부수, 총9획]

⑤ 충견

忠犬

* 충견(忠犬) : 주인에게 충성스러운 개.

忠

[충성 충, 心부수, 총8획]

⑥ 애견

愛犬

* 애견(愛犬) : 개를 귀여워함.

愛

[사랑 애, 心부수, 총13획]

⑦ 맹견

猛犬

* 맹견(猛犬) : 몹시 사나운 개.

猛

[사나울 맹, 犬부수, 총11획]

見

볼 견
뵐 현
見부수
총7획

見 見 見

① 의견
意見
* 의견(意見) : 어떤 대상에 대하여 가지는 생각.

意 意 意見

[뜻 의, 心부수, 총13획]

② 견해
見解
* 견해(見解) : 어떤 사물이나 현상에 대한 자기의 생각.

解 解 見解

[풀 해, 角부수, 총13획]

③ 발견
發見
* 발견(發見) : 미처 못 찾았거나 아직 알려지지 않은 사물이나 현상, 사실 따위를 찾아냄.

發 發 發見

[필 발, 癶부수, 총12획]

④ 회견
會見
* 회견(會見) : 일정한 절차를 거쳐서 서로 만나 의견이나 견해를 밝힘. 또는 그런 모임.

會 會 會見

[모일 회, 日부수, 총13획]

⑤ 편견
偏見
* 편견(偏見) : 공정하지 못하고 한쪽으로 치우친 생각.

偏 偏 偏見

[치우칠 편, 人부수, 총11획]

⑥ 이견
異見
* 이견(異見) : 어떠한 의견에 대한 다른 의견.

異 異 異見

[다를 이, 田부수, 총11획]

⑦ 견학
見學
* 견학(見學) : 실지로 보고 그 일에 관한 구체적인 지식을 넓힘.

學 學 見學

[배울 학, 子부수, 총16획]

京

서울 경
亠부수
총8획

① 경인
京仁
* 경인(京仁) : 서울과 인천을 아울러 이르는 말.
仁 [어질 인, 人부수, 총4획]

② 경기도
京畿道
* 경기도(京畿道) : 우리나라 중서부에 있는 도.
畿 [경기 기, 田부수, 총15획]
道 [길 도, 辶부수, 총13획]

③ 상경
上京
* 상경(上京) : 지방에서 서울로 감.
上 [위 상, 一부수, 총3획]

④ 귀경
歸京
* 귀경(歸京) : 서울로 돌아가거나 돌아옴.
歸 [돌아올 귀, 止부수, 총18획]

⑤ 재경
在京
* 재경(在京) : 서울에 있음.
在 [있을 재, 土부수, 총6획]

⑥ 북경
北京
* 북경(北京) : 베이징을 우리 한자음으로 읽은 이름.
北 [북녘 북, 匕부수, 총5획]

⑦ 동경
東京
* 동경(東京) : 도쿄를 우리 한자음으로 읽은 이름.
東 [동녘 동, 木부수, 총8획]

古

옛
고
口부수
총5획

古

① 고목

古木

* 고목(古木) : 주로 키가 큰 나무로, 여러 해 자라 더 크지 않을 정도로 오래된 나무.

木

[나무 목, 木부수, 총4획]

② 중고

中古

* 중고(中古) : 이미 사용하였거나 오래됨.

中

[가운데 중, 丨부수, 총4획]

③ 고대

古代

* 고대(古代) : 옛 시대.

代

[대신할 대, 人부수, 총5획]

④ 태고

太古

* 태고(太古) : 아득한 옛날.

太

[클 태, 大부수, 총4획]

⑤ 고금

古今

* 고금(古今) : 예전과 지금을 아울러 이르는 말.

今

[이제 금, 人부수, 총4획]

⑥ 고서

古書

* 고서(古書) : 아주 오래전에 간행된 책.

書

[글 서, 曰부수, 총10획]

⑦ 고전

古典

* 고전(古典) : 옛날의 의식이나 법식.

典

[법 전, 八부수, 총8획]

告

알릴 고
口부수
총7획

告 告 告

① 신고
申告
* 신고(申告) : 국민이 법령의 규정에 따라 행정 관청에 일정한 사실을 진술, 보고함.
申 申 申 告
[납 신, 田부수, 총5획]

② 고백
告白
* 고백(告白) : 마음속에 생각하고 있는 것이나 감추어 둔 것을 사실대로 숨김없이 말함.
白 白 告 白
[흰 백, 白부수, 총5획]

③ 충고
忠告
* 충고(忠告) : 남의 결함이나 잘못을 진심으로 타이름.
忠 忠 忠 告
[충성 충, 心부수, 총8획]

④ 공고
公告
* 공고(公告) : 세상에 널리 알림.
公 公 公 告
[공변될 공, 八부수, 총4획]

⑤ 광고
廣告
* 광고(廣告) : 상품에 대한 정보를 소비자에게 널리 알리는 의도적인 활동.
廣 廣 廣 告
[넓을 광, 广부수, 총15획]

⑥ 고지
告知
* 고지(告知) : 게시나 글을 통하여 알림.
知 知 告 知
[알 지, 矢부수, 총8획]

⑦ 고발
告發
* 고발(告發) : 세상에 잘 알려지지 않은 잘못이나 비리 따위를 드러내어 알림.
發 發 告 發
[필 발, 癶부수, 총12획]

高

높을 고
高부수
총10획

高 高 高

① 고수	* 고수(高手) : 어떤 분야나 집단에서 기술이 나 능력이 매우 뛰어난 사람.	高 手
高手	手 手	

[손 수, 手부수, 총4획]

② 최고	* 최고(最高) : 가장 높음. 으뜸인 것.	最 高
最高	最 最	

[가장 최, 日부수, 총12획]

③ 고지	* 고지(高地) : 지대가 높은 땅. 이루어야 할 목표.	高 地
高地	地 地	

[땅 지, 土부수, 총6획]

④ 고속	* 고속(高速) : 매우 빠른 속도.	高 速
高速	速 速	

[빠를 속, 辵부수, 총11획]

⑤ 고음	* 고음(高音) : 높은 소리.	高 音
高音	音 音	

[소리 음, 音부수, 총9획]

⑥ 고온	* 고온(高溫) : 높은 온도.	高 溫
高溫	溫 溫	

[따뜻할 온, 水부수, 총13획]

⑦ 고도	* 고도(高度) : 평균 해수면 따위를 0으로 하 여 측정한 대상 물체의 높이.	高 度
高度	度 度	

[법도 도, 广부수, 총9획]

曲

굽을 곡
曰부수
총6획

曲 曲 曲

① 곡선

曲線

* 곡선(曲線) : 모나지 않고 부드럽게 굽은 선.

線 線 曲 線

[선 선, 糸부수, 총15획]

② 굴곡

屈曲

* 굴곡(屈曲) : 이리저리 굽어 꺾여 있음.

屈 屈 屈 曲

[굽을 굴, 尸부수, 총8획]

③ 왜곡

歪曲

* 왜곡(歪曲) : 사실과 다르게 해석하거나 그릇되게 함.

歪 歪 歪 曲

[비뚤 왜, 止부수, 총9획]

④ 곡목

曲目

* 곡목(曲目) : 연주할 곡명을 적어 놓은 목록.

目 目 曲 目

[눈 목, 目부수, 총5획]

⑤ 원곡

原曲

* 원곡(原曲) : 작곡가가 처음 작곡한 곡에서 다른 형식으로 바꾸지 아니한 본래의 곡.

原 原 原 曲

[근원 원, 厂부수, 총10획]

⑥ 전곡

全曲

* 전곡(全曲) : 곡의 전체.

全 全 全 曲

[온전할 전, 入부수, 총6획]

⑦ 작곡

作曲

* 작곡(作曲) : 음악 작품을 창작하는 일. 시나 가사에 가락을 붙이는 일.

作 作 作 曲

[지을 작, 人부수, 총7획]

谷

골 곡
谷부수
총7획

谷

① 계곡

溪谷

* 계곡(溪谷) : 물이 흐르는 골짜기.

溪

[시내 계, 水부수, 총13획]

② 산곡

山谷

* 산곡(山谷) : 산과 산 사이의 움푹 들어간 곳.

山

[뫼 산, 山부수, 총3획]

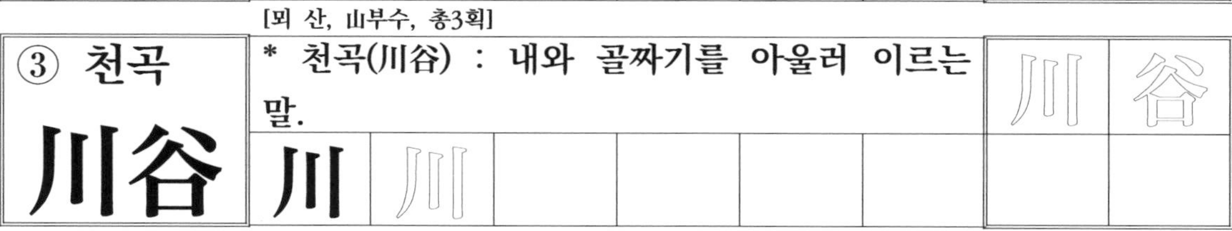

③ 천곡

川谷

* 천곡(川谷) : 내와 골짜기를 아울러 이르는 말.

川

[내 천, 巛부수, 총3획]

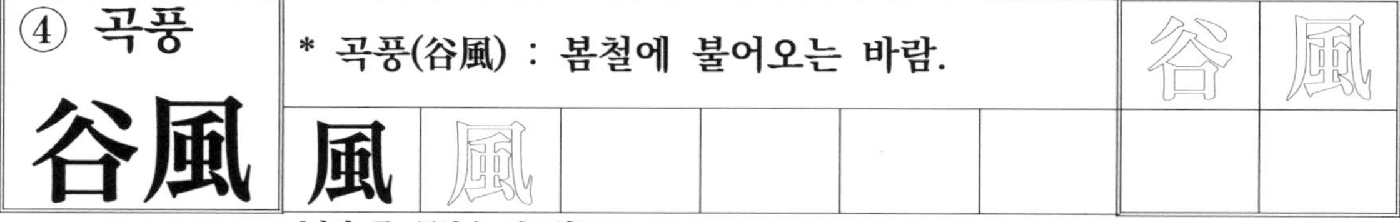

④ 곡풍

谷風

* 곡풍(谷風) : 봄철에 불어오는 바람.

風

[바람 풍, 風부수, 총9획]

⑤ 장곡

長谷

* 장곡(長谷) : 깊고 기다란 산골짜기.

長

[길 장, 長부수, 총8획]

⑥ 우곡

雨谷

* 우곡(雨谷) : 빗물에 패어 생긴 골짜기.

雨

[비 우, 雨부수, 총8획]

⑦ 해곡

海谷

* 해곡(海谷) : 대륙붕이나 대륙 사면에 있는 바다 밑의 깊은 골짜기.

海

[바다 해, 水부수, 총10획]

骨

뼈
골
骨부수
총10획

骨 骨 骨

① 피골
皮骨
* 피골(皮骨) : 살가죽과 뼈를 통틀어 이르는 말.
皮 皮
皮 骨
[가죽 피, 皮부수, 총5획]

② 골육
骨肉
* 골육(骨肉) : 뼈와 살을 아울러 이르는 말.
肉 肉
骨 肉
[고기 육, 肉부수, 총6획]

③ 기골
氣骨
* 기골(氣骨) : 기혈과 뼈대 또는 겉으로 드러나 보이는 기백과 골격을 아울러 이르는 말.
氣 氣
氣 骨
[기운 기, 气부수, 총10획]

④ 골격
骨格
* 골격(骨格) : 동물의 체형을 이루고 몸을 지탱하는 뼈.
格 格
骨 格
[격식 격, 木부수, 총10획]

⑤ 유골
遺骨
* 유골(遺骨) : 주검을 태우고 남은 뼈.
遺 遺
遺 骨
[남길 유, 辵부수, 총16획]

⑥ 골자
骨子
* 골자(骨子) : 말이나 일의 내용에서 중심이 되는 줄기를 이루는 것.
子 子
骨 子
[아들 자, 子부수, 총3획]

⑦ 골재
骨材
* 골재(骨材) : 콘크리트나 모르타르를 만드는데 쓰는 모래나 자갈 따위의 재료.
材 材
骨 材
[재목 재, 木부수, 총7획]

工

장인 공
工부수
총3획

工	工	工				

① 석공 石工

* 석공(石工) : 돌을 다루어 물건을 만드는 사람.

石 石 | 石 工

[돌 석, 石부수, 총5획]

② 목공 木工

* 목공(木工) : 나무를 다루어서 물건을 만드는 일.

木 木 | 木 工

[나무 목, 木부수, 총4획]

③ 수공 手工

* 수공(手工) : 손으로 하는 비교적 간단한 공예.

手 手 | 手 工

[손 수, 手부수, 총4획]

④ 인공 人工

* 인공(人工) : 사람의 힘으로 자연에 대하여 가공하거나 작용을 하는 일.

人 人 | 人 工

[사람 인, 人부수, 총2획]

⑤ 공사 工事

* 공사(工事) : 토목이나 건축 따위의 일.

事 事 | 工 事

[일 사, 亅부수, 총8획]

⑥ 공학 工學

* 공학(工學) : 공업의 이론, 기술, 생산 따위를 체계적으로 연구하는 학문.

學 學 | 工 學

[배울 학, 子부수, 총16획]

⑦ 공부 工夫

* 공부(工夫) : 학문이나 기술을 배우고 익힘.

夫 夫 | 工 夫

[사내 부, 大부수, 총4획]

公

공변될 공
八부수
총4획

公

① 공평
公平
* 공평(公平) : 어느 쪽으로도 치우치지 않고 고름.
平
[평평할 평, 干부수, 총5획]

② 공정
公正
* 공정(公正) : 공평하고 올바름.
正
[바를 정, 止부수, 총5획]

③ 공공
公共
* 공공(公共) : 국가나 사회의 구성원에게 두루 관계되는 것.
共
[함께 공, 八부수, 총6획]

④ 공문
公文
* 공문(公文) : 공공 기관이나 단체에서 공식으로 작성한 서류.
文
[글월 문, 文부수, 총4획]

⑤ 공익
公益
* 공익(公益) : 사회 전체의 이익.
益
[더할 익, 皿부수, 총10획]

⑥ 공립
公立
* 공립(公立) : 지방 자치 단체가 세워서 운영함.
立
[설 립, 立부수, 총5획]

⑦ 공개
公開
* 공개(公開) : 어떤 사실이나 사물, 내용 따위를 여러 사람에게 널리 터놓음.
開
[열 개, 門부수, 총12획]

空

빌
공
穴부수
총8획

空	空	空				

① 공중
空中

* 공중(空中) : 하늘과 땅 사이의 빈 곳.

中	中					空	中

[가운데 중, 丨부수, 총4획]

② 상공
上空

* 상공(上空) : 높은 하늘.

上	上					上	空

[위 상, 一부수, 총3획]

③ 고공
高空

* 고공(高空) : 높은 공중.

高	高					高	空

[높을 고, 高부수, 총10획]

④ 공기
空氣

* 공기(空氣) : 지구를 둘러싼 대기의 하층부를 구성하는 무색, 무취의 투명한 기체.

氣	氣					空	氣

[기운 기, 气부수, 총10획]

⑤ 공군
空軍

* 공군(空軍) : 주로 공중에서 공격과 방어의 임무를 수행하는 군대.

軍	軍					空	軍

[군사 군, 車부수, 총9획]

⑥ 공백
空白

* 공백(空白) : 아무것도 없이 비어 있음

白	白					空	白

[흰 백, 白부수, 총5획]

⑦ 공석
空席

* 공석(空席) : 사람이 앉지 아니하여 비어 있는 자리.

席	席					空	席

[자리 석, 巾부수, 총10획]

果

열매 과
木부수
총8획

果 果 果

① 과실
果實
* 과실(果實) : 나무 따위를 가꾸어 얻은 열매.

實 實 | 果 實

[열매 실, 宀부수, 총14획]

② 청과
靑果
* 청과(靑果) : 신선한 과일과 채소를 통틀어 이르는 말.

靑 靑 | 靑 果

[푸를 청, 靑부수, 총8획]

③ 과연
果然
* 과연(果然) : 아닌 게 아니라 정말로. 결과에 있어서도 참으로.

然 然 | 果 然

[그럴 연, 火부수, 총12획]

④ 결과
結果
* 결과(結果) : 열매를 맺음. 어떤 원인으로 결말이 생김.

結 結 | 結 果

[맺을 결, 糸부수, 총12획]

⑤ 인과
因果
* 인과(因果) : 원인과 결과.

因 因 | 因 果

[인할 인, 口부수, 총6획]

⑥ 성과
成果
* 성과(成果) : 이루어 낸 결실.

成 成 | 成 果

[이룰 성, 戈부수, 총7획]

⑦ 효과
效果
* 효과(效果) : 어떤 목적을 지닌 행위에 의하여 드러나는 보람이나 좋은 결과.

效 效 | 效 果

[본받을 효, 攵부수, 총10획]

光

빛 광
儿부수
총6획

光 光 光

① 월광
月光
* 월광(月光) : 달에서 비쳐 오는 빛.
月 月
[달 월, 月부수, 총4획]
月 光

② 일광
日光
* 일광(日光) : 햇빛.
日 日
[날 일, 日부수, 총4획]
日 光

③ 광학
光學
* 광학(光學) : 물리학의 한 분야. 빛의 성질과 현상을 연구하는 학문.
學 學
[배울 학, 子부수, 총16획]
光 學

④ 야광
夜光
* 야광(夜光) : 어둠 속에서 빛을 냄.
夜 夜
[밤 야, 夕부수, 총8획]
夜 光

⑤ 광속
光速
* 광속(光速) : 진공 속에서 빛이 나아가는 속도.
速 速
[빠를 속, 辶부수, 총11획]
光 速

⑥ 광경
光景
* 광경(光景) : 벌어진 일의 형편과 모양.
景 景
[경치 경, 日부수, 총12획]
光 景

⑦ 관광
觀光
* 관광(觀光) : 다른 지방이나 나라에 가서 그 곳의 풍경, 풍습, 문물 따위를 구경함.
觀 觀
[볼 관, 見부수, 총25획]
觀 光

交

사귈
교
亠부수
총6획

交 交 交

① 외교

外交

* 외교(外交) : 다른 나라와 정치적, 경제적, 문화적 관계를 맺는 일.

外 外 | 外 交

[바깥 외, 夕부수, 총5획]

② 국교

國交

* 국교(國交) : 나라와 나라 사이에 맺는 외교 관계.

國 國 | 國 交

[나라 국, 口부수, 총11획]

③ 교류

交流

* 교류(交流) : 근원이 다른 물줄기가 서로 섞이어 흐름. 문화나 사상 따위가 서로 통함.

流 流 | 交 流

[흐를 류, 水부수, 총10획]

④ 교통

交通

* 교통(交通) : 자동차, 기차, 배, 비행기 따위를 이용하여 사람이 오고 감.

通 通 | 交 通

[통할 통, 辵부수, 총11획]

⑤ 교신

交信

* 교신(交信) : 우편, 전신, 전화 따위로 정보나 의견을 주고받음.

信 信 | 交 信

[믿을 신, 人부수, 총9획]

⑥ 교대

交代

* 교대(交代) : 어떤 일을 여럿이 나누어서 차례에 따라 맡아 함.

代 代 | 交 代

[대신할 대, 人부수, 총5획]

⑦ 교차

交叉

* 교차(交叉) : 서로 엇갈리거나 마주침.

叉 叉 | 交 叉

[깍지낄 차, 又부수, 총3획]

九

아홉 구
乙부수
총2획

① 구월 九月

* 구월(九月) : 한 해 열두 달 가운데 아홉째 달.

[달 월, 月부수, 총4획]

② 구일 九日

* 구일(九日) : 아홉째 날.

[날 일, 日부수, 총4획]

③ 구십 九十

* 구십(九十) : 십의 아홉 배가 되는 수.

[열 십, 十부수, 총2획]

④ 구백 九百

* 구백(九百) : 백의 아홉 배가 되는 수.

[일백 백, 白부수, 총6획]

⑤ 구천 九千

* 구천(九千) : 천의 아홉 배가 되는 수.

[일천 천, 十부수, 총3획]

⑥ 구만 九萬

* 구만(九萬) : 만의 아홉 배가 되는 수.

[일만 만, 艸부수, 총13획]

⑦ 구억 九億

* 구억(九億) : 억의 아홉 배가 되는 수.

[억 억, 人부수, 총15획]

具

갖출 구
八부수
총8획

具	具	具				

① 가구
家具

* 가구(家具) : 집안 살림에 쓰는 기구.

家	家				家	具

[집 가, 宀부수, 총10획]

② 기구
器具

* 기구(器具) : 세간, 도구, 기계 따위를 통틀어 이르는 말.

器	器				器	具

[그릇 기, 口부수, 총16획]

③ 도구
道具

* 도구(道具) : 일을 할 때 쓰는 연장을 통틀어 이르는 말.

道	道				道	具

[길 도, 辶부수, 총13획]

④ 용구
用具

* 용구(用具) : 무엇을 하거나 만드는 데 쓰는 여러 가지 도구.

用	用				用	具

[쓸 용, 用부수, 총5획]

⑤ 공구
工具

* 공구(工具) : 물건을 만들거나 고치는 데에 쓰는 기구나 도구를 통틀어 이르는 말.

工	工				工	具

[장인 공, 工부수, 총3획]

⑥ 문구
文具

* 문구(文具) : 학용품과 사무용품 따위를 통틀어 이르는 말.

文	文				文	具

[글월 문, 文부수, 총4획]

⑦ 교구
敎具

* 교구(敎具) : 학습을 효과적으로 지도하기 위하여 사용하는 도구.

敎	敎				敎	具

[가르칠 교, 攵부수, 총11획]

口

입
구
口부수
총3획

口	口	口				

① 입구

入口

* 입구(入口) : 들어가는 통로.

[들 입, 入부수, 총2획]

② 출구

出口

* 출구(出口) : 밖으로 나갈 수 있는 통로.

[날 출, 凵부수, 총5획]

③ 가구

家口

* 가구(家口) : 집안 식구.

[집 가, 宀부수, 총10획]

④ 식구

食口

* 식구(食口) : 한집에서 함께 살면서 끼니를 같이하는 사람.

[먹을 식, 食부수, 총9획]

⑤ 인구

人口

* 인구(人口) : 일정한 지역에 사는 사람의 수.

[사람 인, 人부수, 총2획]

⑥ 화구

火口

* 화구(火口) : 불을 때는 아궁이의 아가리.

[불 화, 火부수, 총4획]

⑦ 구령

口令

* 구령(口令) : 일정한 동작을 일제히 취하도록 지휘자가 말로 내리는 간단한 명령.

[명령할 령, 人부수, 총5획]

求

구할 구
水부수
총7획

求

① 구인
求人
* 구인(求人) : 일할 사람을 구함.
人
[사람 인, 人부수, 총2획]

② 자구
自求
* 자구(自求) : 스스로 구함.
自
[스스로 자, 自부수, 총6획]

③ 구심
求心
* 구심(求心) : 중심으로 가까워져 옴.
心
[마음 심, 心부수, 총4획]

④ 요구
要求
* 요구(要求) : 받아야 할 것을 필요에 의하여 달라고 청함.
要
[중요할 요, 襾부수, 총9획]

⑤ 청구
請求
* 청구(請求) : 남에게 돈이나 물건 따위를 달라고 요구함.
請
[청할 청, 言부수, 총15획]

⑥ 욕구
欲求
* 욕구(欲求) : 무엇을 얻거나 무슨 일을 하고자 바라는 일.
欲
[하고자 할 욕, 欠부수, 총11획]

⑦ 추구
追求
* 추구(追求) : 목적을 이룰 때까지 뒤좇아 구함.
追
[쫓을 추, 辵부수, 총10획]

究

궁구할 구
穴부수
총7획

① 연구 研究

* 연구(研究) : 일이나 사물에 대해서 깊이 있게 조사하고 생각하여 진리를 따져 보는 일.

[갈 연, 石부수, 총11획]

② 학구 學究

* 학구(學究) : 학문을 깊이 연구함.

[배울 학, 子부수, 총16획]

③ 탐구 探究

* 탐구(探究) : 진리, 학문 따위를 파고들어 깊이 연구함.

[찾을 탐, 手부수, 총11획]

④ 강구 講究

* 강구(講究) : 좋은 대책과 방법을 궁리하여 찾아내거나 좋은 대책을 세움.

[강론할 강, 言부수, 총17획]

⑤ 궁구 窮究

* 궁구(窮究) : 속속들이 파고들어 깊게 연구함.

[다할 궁, 穴부수, 총15획]

⑥ 고구 考究

* 고구(考究) : 자세히 살펴 연구함.

[생각할 고, 老부수, 총6획]

⑦ 구극 究極

* 구극(究極) : 어떤 과정의 마지막이나 끝.

[지극할 극, 木부수, 총13획]

國

나라 국
口부수
총11획

國

① 한국
韓國

* 한국(韓國) : 아시아 대륙 동쪽에 있는 한반도와 그 부속 도서로 이루어진 공화국.

韓

[나라 한, 韋부수, 총17획]

② 국어
國語

* 국어(國語) : 한 나라의 국민이 쓰는 말. 우리나라의 언어.

語

[말씀 어, 言부수, 총14획]

③ 국가
國家

* 국가(國家) : 일정한 영토와 거기에 사는 사람들로 구성되고, 주권에 의한 사회 집단.

家

[집 가, 宀부수, 총10획]

④ 국민
國民

* 국민(國民) : 국가를 구성하는 사람.

民

[백성 민, 氏부수, 총5획]

⑤ 국토
國土

* 국토(國土) : 나라의 땅. 한 나라의 통치권이 미치는 지역을 이른다.

土

[흙 토, 土부수, 총3획]

⑥ 국군
國軍

* 국군(國軍) : 나라 안팎의 적으로부터 나라를 보존하기 위하여 조직한 군대.

軍

[군사 군, 車부수, 총9획]

⑦ 왕국
王國

* 왕국(王國) : 임금이 다스리는 나라.

王

[임금 왕, 玉부수, 총4획]

君

임금
군
口부수
총7획

君 君 君

① 군신

君臣

* 군신(君臣) : 임금과 신하를 아울러 이르는 말.

臣 臣

君 臣

[신하 신, 臣부수, 총6획]

② 군주

君主

* 군주(君主) : 세습적으로 나라를 다스리는 최고 지위에 있는 사람.

主 主

君 主

[주인 주, 丶부수, 총5획]

③ 군왕

君王

* 군왕(君王) : 군주 국가에서 나라를 다스리는 우두머리. 임금.

王 王

君 王

[임금 왕, 玉부수, 총4획]

④ 군자

君子

* 군자(君子) : 행실이 점잖고 어질며 덕과 학식이 높은 사람.

子 子

君 子

[아들 자, 子부수, 총3획]

⑤ 선군

先君

* 선군(先君) : 선대의 임금. 선왕.

先 先

先 君

[먼저 선, 儿부수, 총6획]

⑥ 폭군

暴君

* 폭군(暴君) : 사납고 악한 임금.

暴 暴

暴 君

[사나울 폭, 日부수, 총15획]

⑦ 성군

聖君

* 성군(聖君) : 어질고 덕이 뛰어난 임금.

聖 聖

聖 君

[성인 성, 耳부수, 총13획]

軍

군사 군
車부수
총9획

軍

① 군사
軍士
* 군사(軍士) : 예전에, 군인이나 군대를 이르던 말.
士
[선비 사, 士부수, 총3획]

② 군졸
軍卒
* 군졸(軍卒) : 예전에, 군인이나 군대를 이르던 말.
卒
[군사 졸, 十부수, 총8획]

③ 장군
將軍
* 장군(將軍) : 군의 우두머리로 군을 지휘하고 통솔하는 무관.
將
[장사 장, 寸부수, 총11획]

④ 육군
陸軍
* 육군(陸軍) : 주로 땅 위에서 공격과 방어의 임무를 수행하는 군대.
陸
[뭍 륙, 阜부수, 총11획]

⑤ 해군
海軍
* 해군(海軍) : 주로 바다에서 공격과 방어의 임무를 수행하는 군대.
海
[바다 해, 水부수, 총10획]

⑥ 공군
空軍
* 공군(空軍) : 주로 공중에서 공격과 방어의 임무를 수행하는 군대.
空
[빌 공, 穴부수, 총8획]

⑦ 행군
行軍
* 행군(行軍) : 군대가 대열을 지어 먼 거리를 이동하는 일.
行
[갈 행, 行부수, 총6획]

弓

활
궁
弓부수
총3획

弓 弓 弓

① 양궁

洋弓

* 양궁(洋弓) : 서양식으로 만든 활.

洋 弓

洋 洋

[큰 바다 양, 水부수, 총9획]

② 국궁

國弓

* 국궁(國弓) : 우리나라의 활.

國 弓

國 國

[나라 국, 口부수, 총11획]

③ 궁수

弓手

* 궁수(弓手) : 활 쏘는 일을 맡아 하는 군사.

弓 手

手 手

[손 수, 手부수, 총4획]

④ 궁사

弓師

* 궁사(弓師) : 활 쏘는 일을 주로 하는 사람.

弓 師

師 師

[스승 사, 巾부수, 총10획]

⑤ 궁술

弓術

* 궁술(弓術) : 활 쏘는 기술.

弓 術

術 術

[꾀 술, 行부수, 총11획]

⑥ 궁도

弓道

* 궁도(弓道) : 활을 쏘는 무술. 활 쏘는 데 지켜야 할 도리. 활을 쏘는 기술을 닦는 일.

弓 道

道 道

[길 도, 辶부수, 총13획]

⑦ 신궁

神弓

* 신궁(神弓) : 활을 잘 쏘는 사람.

神 弓

神 神

[귀신 신, 示부수, 총10획]

貴

귀할 귀
貝부수
총12획

貴 貴 貴

① 귀중

貴重

* 귀중(貴重) : 귀하고 중함.

重 重

貴 重

[무거울 중, 里부수, 총9획]

② 귀하

貴下

* 귀하(貴下) : 듣는 이를 높여 이르는 이인칭 대명사.

下 下

貴 下

[아래 하, 一부수, 총3획]

③ 귀빈

貴賓

* 귀빈(貴賓) : 귀한 손님.

賓 賓

貴 賓

[손 빈, 貝부수, 총14획]

④ 귀족

貴族

* 귀족(貴族) : 가문이나 신분 따위가 좋아 정치적, 사회적 특권을 가진 계층.

族 族

貴 族

[겨레 족, 方부수, 총11획]

⑤ 부귀

富貴

* 부귀(富貴) : 재산이 많고 지위가 높음.

富 富

富 貴

[부유할 부, 宀부수, 총12획]

⑥ 품귀

品貴

* 품귀(品貴) : 물건을 구하기 어려움.

品 品

品 貴

[물건 품, 口부수, 총9획]

⑦ 희귀

稀貴

* 희귀(稀貴) : 드물어서 특이하거나 매우 귀함.

稀 稀

稀 貴

[드물 희, 禾부수, 총12획]

今

이제 금
人부수
총4획

今

① 금일
今日
* 금일(今日) : 지금 지나가고 있는 이날. 오늘.
日
[날 일, 日부수, 총4획]

② 금주
今週
* 금주(今週) : 이번 주일.
週
[돌 주, 辵부수, 총12획]

③ 금년
今年
* 금년(今年) : 지금 지나가고 있는 이해. 올해.
年
[해 년, 干부수, 총6획]

④ 금방
今方
* 금방(今方) : 말하고 있는 시점보다 바로 조금 전에.
方
[모 방, 方부수, 총4획]

⑤ 지금
只今
* 지금(只今) : 말하는 바로 이때.
只
[다만 지, 口부수, 총5획]

⑥ 작금
昨今
* 작금(昨今) : 어제와 오늘을 아울러 이르는 말.
昨
[어제 작, 日부수, 총9획]

⑦ 고금
古今
* 고금(古今) : 예전과 지금을 아울러 이르는 말.
古
[옛 고, 口부수, 총5획]

金

쇠 금
金부수
총8획

金 金 金

① 황금
黃金
* 황금(黃金) : 누런빛의 금이라는 뜻으로, 금을 다른 금속과 구별하여 이르는 말.
黃 黃 / 黃 金
[누를 황, 黃부수, 총12획]

② 금은
金銀
* 금은(金銀) : 금과 은을 아울러 이르는 말.
銀 銀 / 金 銀
[은 은, 金부수, 총14획]

③ 금상
金賞
* 금상(金賞) : 상의 등급을 금, 은, 동으로 나누었을 때에 1등에 해당하는 상.
賞 賞 / 金 賞
[상줄 상, 貝부수, 총15획]

④ 거금
巨金
* 거금(巨金) : 많은 돈.
巨 巨 / 巨 金
[클 거, 工부수, 총5획]

⑤ 현금
現金
* 현금(現金) : 물건을 사고팔 때, 그 자리에서 즉시 치르는 물건값.
現 現 / 現 金
[나타날 현, 玉부수, 총11획]

⑥ 저금
貯金
* 저금(貯金) : 돈을 모아 둠. 금융 기관에 돈을 맡김.
貯 貯 / 貯 金
[쌓을 저, 貝부수, 총12획]

⑦ 송금
送金
* 송금(送金) : 돈을 부쳐 보냄.
送 送 / 送 金
[보낼 송, 辵부수, 총10획]

己

몸 기
己부수
총3획

己

① 자기

自己

* 자기(自己) : 그 사람 자신.

自

[스스로 자, 自부수, 총6획]

② 이기

利己

* 이기(利己) : 자기 자신의 이익만을 꾀함.

利

[이로울 리, 刀부수, 총7획]

③ 지기

知己

* 지기(知己) : 자기의 속마음을 참되게 알아주는 친구.

知

[알 지, 矢부수, 총8획]

④ 극기

克己

* 극기(克己) : 자기의 감정이나 욕심, 충동 따위를 이성적 의지로 눌러 이김.

克

[이길 극, 儿부수, 총7획]

⑤ 수기

修己

* 수기(修己) : 자신의 몸과 마음을 닦음.

修

[닦을 수, 人부수, 총10획]

⑥ 기신

己身

* 기신(己身) : 그 사람의 몸 또는 바로 그 사람을 이르는 말.

身

[몸 신, 身부수, 총7획]

⑦ 기물

己物

* 기물(己物) : 자기 소유의 물건.

物

[만물 물, 牛부수, 총8획]

氣

기운 기
气부수
총10획

氣 氣 氣

① 심기

心氣

* 심기(心氣) : 마음으로 느끼는 기분.

心 心 心 氣

[마음 심, 心부수, 총4획]

② 기분

氣分

* 기분(氣分) : 대상, 환경 따위에 따라 마음에 절로 생기며 한동안 지속되는 감정.

分 分 氣 分

[나눌 분, 刀부수, 총4획]

③ 사기

士氣

* 사기(士氣) : 의욕이나 자신감 따위로 충만하여 굽힐 줄 모르는 기세.

士 士 士 氣

[선비 사, 士부수, 총3획]

④ 혈기

血氣

* 혈기(血氣) : 피의 기운이라는 뜻으로, 힘을 쓰고 활동하게 하는 원기를 이르는 말.

血 血 血 氣

[피 혈, 血부수, 총6획]

⑤ 기합

氣合

* 기합(氣合) : 어떤 특별한 힘을 내기 위한 정신과 힘의 집중.

合 合 氣 合

[합할 합, 口부수, 총6획]

⑥ 일기

日氣

* 일기(日氣) : 그날그날의 비, 구름, 바람, 기온 따위가 나타나는 기상 상태.

日 日 日 氣

[날 일, 日부수, 총4획]

⑦ 기상

氣象

* 기상(氣象) : 대기 중에서 일어나는 물리적인 현상을 통틀어 이르는 말.

象 象 氣 象

[코끼리 상, 豕부수, 총12획]

吉

길할 길
口부수
총6획

吉	吉	吉				

① 길흉 吉凶

* 길흉(吉凶) : 운이 좋고 나쁨.

凶	凶					吉	凶

[흉할 흉, 凵부수, 총4획]

② 길일 吉日

* 길일(吉日) : 운이 좋거나 상서로운 날.

日	日					吉	日

[날 일, 日부수, 총4획]

③ 길지 吉地

* 길지(吉地) : 풍수지리, 후손에게 장차 좋은 일이 많이 생기게 된다는 묏자리나 집터.

地	地					吉	地

[땅 지, 土부수, 총6획]

④ 길조 吉兆

* 길조(吉兆) : 좋은 일이 있을 조짐.

兆	兆					吉	兆

[조 조, 儿부수, 총6획]

⑤ 대길 大吉

* 대길(大吉) : 운이 매우 좋음.

大	大					大	吉

[큰 대, 大부수, 총3획]

⑥ 길운 吉運

* 길운(吉運) : 좋은 운수.

運	運					吉	運

[돌 운, 辶부수, 총13획]

⑦ 길몽 吉夢

* 길몽(吉夢) : 좋은 징조의 꿈.

夢	夢					吉	夢

[꿈 몽, 夕부수, 총14획]

南

남녘 남
十부수
총9획

① 남산
南山
* 남산(南山) : 남쪽에 있는 산.
[뫼 산, 山부수, 총3획]

② 남풍
南風
* 남풍(南風) : 남쪽에서 불어오는 바람.
[바람 풍, 風부수, 총9획]

③ 남해
南海
* 남해(南海) : 남쪽에 있는 바다.
[바다 해, 水부수, 총10획]

④ 남향
南向
* 남향(南向) : 남쪽으로 향함. 또는 그 방향.
[향할 향, 口부수, 총6획]

⑤ 남극
南極
* 남극(南極) : 지축의 남쪽 끝.
[지극할 극, 木부수, 총13획]

⑥ 남북
南北
* 남북(南北) : 남쪽과 북쪽을 아울러 이르는 말.
[북녘 북, 匕부수, 총5획]

⑦ 남한
南韓
* 남한(南韓) : 남북으로 분단된 대한민국의 휴전선 남쪽 지역을 가리키는 말.
[나라 한, 韋부수, 총17획]

男

사내
남
田부수
총7획

男	男	男				

① 남자 男子

* 남자(男子) : 남성으로 태어난 사람.

子 子

[아들 자, 子부수, 총3획]

男 子

② 남녀 男女

* 남녀(男女) : 남자와 여자를 아울러 이르는 말.

女 女

[여자 녀, 女부수, 총3획]

男 女

③ 남아 男兒

* 남아(男兒) : 남자인 아이.

兒 兒

[아이 아, 儿부수, 총8획]

男 兒

④ 남성 男性

* 남성(男性) : 성의 측면에서 남자를 이르는 말. 특히 성년이 된 남자를 이른다.

性 性

[성품 성, 心부수, 총8획]

男 性

⑤ 미남 美男

* 미남(美男) : 얼굴이 잘생긴 남자.

美 美

[아름다울 미, 羊부수, 총9획]

美 男

⑥ 남매 男妹

* 남매(男妹) : 오빠와 누이를 아울러 이르는 말.

妹 妹

[손아랫 누이 매, 女부수, 총8획]

男 妹

⑦ 남편 男便

* 남편(男便) : 혼인하여 여자의 짝이 된 남자.

便 便

[편할 편, 人부수, 총9획]

男 便

內

안
내
入부수
총4획

內 內 內

① 내외

內外

* 내외(內外) : 안과 밖을 아울러 이르는 말.

外 外

[바깥 외, 夕부수, 총5획]

內 外

② 내면

內面

* 내면(內面) : 물건의 안쪽. 밖으로 드러나지 아니하는 사람의 속마음.

面 面

[낯 면, 面부수, 총9획]

內 面

③ 내용

內容

* 내용(內容) : 말, 글, 그림, 연출 따위의 표현 매체 속에 들어 있는 것.

容 容

[얼굴 용, 宀부수, 총10획]

內 容

④ 실내

室內

* 실내(室內) : 방이나 건물 따위의 안.

室 室

[집 실, 宀부수, 총9획]

室 內

⑤ 교내

校內

* 교내(校內) : 학교의 안.

校 校

[학교 교, 木부수, 총10획]

校 內

⑥ 내의

內衣

* 내의(內衣) : 겉옷의 안쪽에 몸에 직접 닿게 입는 옷.

衣 衣

[옷 의, 衣부수, 총6획]

內 衣

⑦ 내부

內部

* 내부(內部) : 안쪽의 부분.

部 部

[나눌 부, 邑부수, 총11획]

內 部

女

여자
녀
女부수
총3획

女 女 女

① 자녀

子女

* 자녀(子女) : 아들과 딸을 아울러 이르는 말.

子 女
子 子

[아들 자, 子부수, 총3획]

② 소녀

少女

* 소녀(少女) : 아직 완전히 성숙하지 아니한 어린 여자아이.

少 女
少 少

[적을 소, 小부수, 총4획]

③ 여왕

女王

* 여왕(女王) : 여자 임금.

女 王
王 王

[임금 왕, 玉부수, 총4획]

④ 여사

女史

* 여사(女史) : 결혼한 여자를 높여 이르는 말.

女 史
史 史

[역사 사, 口부수, 총5획]

⑤ 여신

女神

* 여신(女神) : 여성의 신.

女 神
神 神

[귀신 신, 示부수, 총10획]

⑥ 부녀

父女

* 부녀(父女) : 아버지와 딸을 아울러 이르는 말.

父 女
父 父

[아버지 부, 父부수, 총4획]

⑦ 모녀

母女

* 모녀(母女) : 어머니와 딸을 아울러 이르는 말.

母 女
母 母

[어머니 모, 母부수, 총5획]

年

해
년
干부수
총6획

年	年	年				

① 금년

今年

* 금년(今年) : 지금 지나가고 있는 이 해.

今	今					今	年

[이제 금, 人부수, 총4획]

② 내년

來年

* 내년(來年) : 올해의 바로 다음 해.

來	來					來	年

[올 래, 人부수, 총8획]

③ 작년

昨年

* 작년(昨年) : 이 해의 바로 앞의 해.

昨	昨					昨	年

[어제 작, 日부수, 총9획]

④ 학년

學年

* 학년(學年) : 일 년간의 학습 과정의 단위.

學	學					學	年

[배울 학, 子부수, 총16획]

⑤ 소년

少年

* 소년(少年) : 아직 완전히 성숙하지 아니한 어린 사내아이.

少	少					少	年

[적을 소, 小부수, 총4획]

⑥ 연초

年初

* 연초(年初) : 새해의 첫머리.

初	初					年	初

[처음 초, 刀부수, 총7획]

⑦ 연말

年末

* 연말(年末) : 한 해의 마지막 무렵.

末	末					年	末

[끝 말, 木부수, 총5획]

農

농사
농
辰부수
총13획

農	農	農				

① 농부

農夫

* 농부(農夫) : 농사짓는 일을 직업으로 하는 사람.

夫 夫

[사내 부, 大부수, 총4획]

農 夫

② 농사

農事

* 농사(農事) : 곡류, 과채류 따위의 씨나 모종을 심어 기르고 거두는 따위의 일.

事 事

[일 사, 亅부수, 총8획]

農 事

③ 농민

農民

* 농민(農民) : 농사짓는 일을 생업으로 삼는 사람.

民 民

[백성 민, 氏부수, 총5획]

農 民

④ 농가

農家

* 농가(農家) : 농사를 본업으로 하는 사람의 집. 또는 그런 가정.

家 家

[집 가, 宀부수, 총10획]

農 家

⑤ 농촌

農村

* 농촌(農村) : 주민의 대부분이 농업에 종사하는 마을이나 지역.

村 村

[마을 촌, 木부수, 총7획]

農 村

⑥ 농지

農地

* 농지(農地) : 농사짓는 데 쓰는 땅.

地 地

[땅 지, 土부수, 총6획]

農 地

⑦ 농경

農耕

* 농경(農耕) : 논밭을 갈아 농사를 지음.

耕 耕

[밭갈 경, 耒부수, 총10획]

農 耕

多

맑을
다
夕부수
총6획

多

① 다소
多少
* 다소(多少) : 분량이나 정도의 많음과 적음.
少
[적을 소, 小부수, 총4획]

② 다각
多角
* 다각(多角) : 여러 방면이나 부문.
角
[뿔 각, 角부수, 총7획]

③ 다량
多量
* 다량(多量) : 많은 분량.
量
[헤아릴 량, 里부수, 총12획]

④ 과다
過多
* 과다(過多) : 너무 많음.
過
[지날 과, 辵부수, 총13획]

⑤ 다수
多數
* 다수(多數) : 수효가 많음.
數
[셀 수, 攴부수, 총15획]

⑥ 최다
最多
* 최다(最多) : 수나 양 따위가 가장 많음.
最
[가장 최, 曰부수, 총12획]

⑦ 다행
多幸
* 다행(多幸) : 뜻밖에 일이 잘되어 운이 좋음.
幸
[다행 행, 干부수, 총8획]

單

홑 단
口부수
총12획

① 단일

單一

* 단일(單一) : 단 하나로 되어 있음.

[하나 일, 一부수, 총1획]

② 단원

單元

* 단원(單元) : 어떤 주제나 내용을 중심으로 묶은 학습 단위.

[으뜸 원, 儿부수, 총4획]

③ 단위

單位

* 단위(單位) : 길이, 무게, 수효, 시간 따위의 기초가 되는 일정한 기준.

[자리 위, 人부수, 총7획]

④ 단신

單身

* 단신(單身) : 혼자의 몸.

[몸 신, 身부수, 총7획]

⑤ 단독

單獨

* 단독(單獨) : 단 한 사람.

[홀로 독, 犬부수, 총16획]

⑥ 명단

名單

* 명단(名單) : 어떤 일에 관련된 사람들의 이름을 적은 표.

[이름 명, 口부수, 총6획]

⑦ 식단

食單

* 식단(食單) : 일정한 기간 동안 먹을 음식의 종류와 순서를 짜 놓은 표.

[먹을 식, 食부수, 총9획]

答

대답할 답
竹부수
총12획

答 答 答

① 정답
正答
* 정답(正答) : 옳은 답.
正 正
正 答
[바를 정, 止부수, 총5획]

② 오답
誤答
* 오답(誤答) : 잘못된 대답을 함.
誤 誤
誤 答
[그릇할 오, 言부수, 총14획]

③ 문답
問答
* 문답(問答) : 물음과 대답.
問 問
問 答
[물을 문, 口부수, 총11획]

④ 답변
答辯
* 답변(答辯) : 물음에 대하여 밝혀 대답함.
辯 辯
答 辯
[말 잘할 변, 辛부수, 총21획]

⑤ 대답
對答
* 대답(對答) : 부르는 말에 응하여 어떤 말을 함.
對 對
對 答
[대답할 대, 寸부수, 총14획]

⑥ 응답
應答
* 응답(應答) : 부름이나 물음에 응하여 답함.
應 應
應 答
[응할 응, 心부수, 총17획]

⑦ 해답
解答
* 해답(解答) : 질문이나 의문을 풀이함.
解 解
解 答
[풀 해, 角부수, 총13획]

집
당
土부수
총11획

堂	堂	堂				

① 강당
講堂

* 강당(講堂) : 강연이나 강의, 의식 따위를 할 때에 쓰는 건물이나 큰 방.

講 講 | 講 堂

[강론할 강, 言부수, 총17획]

② 학당
學堂

* 학당(學堂) : 학교를 이르던 말.

學 學 | 學 堂

[배울 학, 子부수, 총16획]

③ 서당
書堂

* 서당(書堂) : 예전에, 한문을 사사로이 가르치던 곳.

書 書 | 書 堂

[글 서, 曰부수, 총10획]

④ 식당
食堂

* 식당(食堂) : 건물 안에 식사를 할 수 있게 시설을 갖춘 장소.

食 食 | 食 堂

[먹을 식, 食부수, 총9획]

⑤ 명당
明堂

* 명당(明堂) : 풍수지리, 후손에게 장차 좋은 일이 많이 생기게 된다는 묏자리나 집터.

明 明 | 明 堂

[밝을 명, 日부수, 총8획]

⑥ 사당
祠堂

* 사당(祠堂) : 조상의 신주를 모셔 놓은 집.

祠 祠 | 祠 堂

[사당 사, 示부수, 총10획]

⑦ 당당
堂堂

* 당당(堂堂) : 남 앞에서 내세울 만큼 떳떳한 모습이나 태도.

堂 堂 | 堂 堂

[집 당, 土부수, 총11획]

代

대신할 대
人부수
총5획

代 代 代

① 대신
代身
* 대신(代身) : 어떤 대상의 자리나 구실을 바꾸어서 새로 맡음.

代 身
身 身
[몸 신, 身부수, 총7획]

② 대행
代行
* 대행(代行) : 남을 대신하여 행함.

代 行
行 行
[다닐 행, 行부수, 총6획]

③ 대표
代表
* 대표(代表) : 전체의 상태나 성질을 어느 하나로 잘 나타냄. 전체를 대표하는 사람.

代 表
表 表
[겉 표, 衣부수, 총8획]

④ 세대
世代
* 세대(世代) : 어린아이가 성장하여 부모 일을 계승할 때까지의 30년 정도 되는 기간.

世 代
世 世
[인간 세, 一부수, 총5획]

⑤ 시대
時代
* 시대(時代) : 역사적으로 어떤 표준에 의하여 구분한 일정한 기간.

時 代
時 時
[때 시, 日부수, 총10획]

⑥ 고대
古代
* 고대(古代) : 옛 시대.

古 代
古 古
[옛 고, 口부수, 총5획]

⑦ 현대
現代
* 현대(現代) : 지금의 시대.

現 代
現 現
[나타날 현, 玉부수, 총11획]

大

큰 대
大부수
총3획

① 대소

大小

* 대소(大小) : 크고 작음.

[작을 소, 小부수, 총3획]

② 거대

巨大

* 거대(巨大) : 엄청나게 큼.

[클 거, 工부수, 총5획]

③ 대문

大門

* 대문(大門) : 큰 문. 주로, 한 집의 주가 되는 출입문을 이른다.

[문 문, 門부수, 총8획]

④ 대학

大學

* 대학(大學) : 고등 교육을 베푸는 교육 기관.

[배울 학, 子부수, 총16획]

⑤ 대지

大地

* 대지(大地) : 대자연의 넓고 큰 땅.

[땅 지, 土부수, 총6획]

⑥ 대가

大家

* 대가(大家) : 전문 분야에서 뛰어나 권위를 인정받는 사람.

[집 가, 宀부수, 총10획]

⑦ 대작

大作

* 대작(大作) : 뛰어난 작품.

[지을 작, 人부수, 총7획]

刀

칼
도
刀부수
총2획

刀

① 면도

面刀

* 면도(面刀) : 얼굴이나 몸에 난 수염이나 잔털을 깎음.

面 面刀

[낯 면, 面부수, 총9획]

② 과도

果刀

* 과도(果刀) : 과일을 깎는 작은 칼.

果 果刀

[열매 과, 木부수, 총8획]

③ 식도

食刀

* 식도(食刀) : 부엌에서 쓰는 칼. 식칼.

食 食刀

[먹을 식, 食부수, 총9획]

④ 석도

石刀

* 석도(石刀) : 석기 시대에 쓰던, 돌로 만든 칼.

石 石刀

[돌 석, 石부수, 총5획]

⑤ 목도

木刀

* 목도(木刀) : 나무로 된 칼.

木 木刀

[나무 목, 木부수, 총4획]

⑥ 죽도

竹刀

* 죽도(竹刀) : 대나무로 만든 칼.

竹 竹刀

[대 죽, 竹부수, 총6획]

⑦ 도검

刀劍

* 도검(刀劍) : 칼과 검을 아울러 이르는 말.

劍 刀劍

[칼 검, 刀부수, 총15획]

度

법도
도
广부수
총9획

度 度 度

① 년도 年度

* 년도(年度) : 일정한 기간 단위로서의 그 해.

年 年 | 年 度

[해 년, 干부수, 총6획]

② 속도 速度

* 속도(速度) : 물체가 나아가거나 일이 진행되는 빠르기.

速 速 | 速 度

[빠를 속, 辵부수, 총11획]

③ 온도 溫度

* 온도(溫度) : 따뜻함과 차가움의 정도. 또는 그것을 나타내는 수치.

溫 溫 | 溫 度

[따뜻할 온, 水부수, 총13획]

④ 고도 高度

* 고도(高度) : 평균 해수면 따위를 0으로 하여 측정한 대상 물체의 높이.

高 高 | 高 度

[높을 고, 高부수, 총10획]

⑤ 강도 强度

* 강도(强度) : 센 정도.

强 强 | 强 度

[강할 강, 弓부수, 총11획]

⑥ 정도 程度

* 정도(程度) : 사물의 성질이나 가치를 양부(良否), 우열 따위에서 본 분량이나 수준.

程 程 | 程 度

[법 정, 禾부수, 총12획]

⑦ 밀도 密度

* 밀도(密度) : 빽빽이 들어선 정도.

密 密 | 密 度

[빽빽할 밀, 宀부수, 총11획]

冬

겨울 동
冫부수
총5획

冬 冬 冬

① 입동

立冬

* 입동(立冬) : 이십사절기의 하나. 이때부터 겨울이 시작된다고 한다.

立 立

立 冬

[설 립, 立부수, 총5획]

② 동지

冬至

* 동지(冬至) : 이십사절기의 하나. 일 년 중 낮이 가장 짧고 밤이 가장 길다.

至 至

冬 至

[이를 지, 至부수, 총6획]

③ 동계

冬季

* 동계(冬季) : 겨울의 시기.

季 季

冬 季

[계절 계, 子부수, 총8획]

④ 월동

越冬

* 월동(越冬) : 겨울을 남.

越 越

越 冬

[넘을 월, 走부수, 총12획]

⑤ 엄동설한

嚴冬雪寒

* 엄동설한(嚴冬雪寒) : 눈 내리는 깊은 겨울의 심한 추위.

嚴 嚴 雪 雪 寒 寒

嚴 冬 雪 寒

[엄할 엄, 口부수, 총20획] [눈 설, 雨부수, 총11획] [찰 한, 宀부수, 총12획]

⑥ 동복

冬服

* 동복(冬服) : 겨울철에 입는 옷.

服 服

冬 服

[옷 복, 月부수, 총8획]

⑦ 동면

冬眠

* 동면(冬眠) : 겨울이 되면 동물이 활동을 중단하고 땅속 따위에서 겨울을 보내는 일.

眠 眠

冬 眠

[잠잘 면, 目부수, 총10획]

同

한가지
동
口부수
총6획

同 同 同

① 동시

同時

* 동시(同時) : 같은 때나 시기.

同 時

時 時

[때 시, 日부수, 총10획]

② 동의

同意

* 동의(同意) : 같은 뜻. 또는 뜻이 같음.

同 意

意 意

[뜻 의, 心부수, 총13획]

③ 동행

同行

* 동행(同行) : 같이 길을 감.

同 行

行 行

[갈 행, 行부수, 총6획]

④ 협동

協同

* 협동(協同) : 서로 마음과 힘을 하나로 합함.

協 同

協 協

[도울 협, 十부수, 총8획]

⑤ 공동

共同

* 공동(共同) : 둘 이상의 사람이나 단체가 함께 일을 하거나, 같은 자격으로 관계를 가짐.

共 同

共 共

[함께 공, 八부수, 총6획]

⑥ 동업

同業

* 동업(同業) : 같은 종류의 직업이나 영업. 같이 사업을 함.

同 業

業 業

[업 업, 木부수, 총13획]

⑦ 동창

同窓

* 동창(同窓) : 같은 학교에서 공부를 한 사이.

同 窓

窓 窓

[창문 창, 穴부수, 총11획]

東

동녘
동
木부수
총8획

東 東 東

① 동서
東西

* 동서(東西) : 동쪽과 서쪽을 아울러 이르는 말. 동양과 서양을 아울러 이르는 말.

西 西 東 西

[서녘 서, 襾부수, 총6획]

② 동양
東洋

* 동양(東洋) : 유라시아 대륙의 동부 지역. 아시아의 동부 및 남부를 이름.

洋 洋 東 洋

[큰 바다 양, 水부수, 총9획]

③ 동방
東方

* 동방(東方) : 네 방위의 하나. 해가 떠오르는 쪽이다. 동쪽.

方 方 東 方

[모 방, 方부수, 총4획]

④ 동향
東向

* 동향(東向) : 동쪽으로 향함. 또는 그 방향.

向 向 東 向

[향할 향, 口부수, 총6획]

⑤ 동문
東門

* 동문(東門) : 동쪽으로 난 문.

門 門 東 門

[문 문, 門부수, 총8획]

⑥ 동풍
東風

* 동풍(東風) : 동쪽에서 부는 바람.

風 風 東 風

[바람 풍, 風부수, 총9획]

⑦ 동편
東便

* 동편(東便) : 동쪽 편.

便 便 東 便

[편할 편, 人부수, 총9획]

童

아이 동
立부수
총12획

童

① 동심

童心

* 동심(童心) : 어린아이의 마음.

心

[마음 심, 心부수, 총4획]

② 아동

兒童

* 아동(兒童) : 나이가 적은 아이.

兒

[아이 아, 儿부수, 총8획]

③ 동시

童詩

* 동시(童詩) : 주로 어린이를 독자로 예상하고 어린이의 정서를 읊은 시.

詩

[시 시, 言부수, 총13획]

④ 동화

童話

* 동화(童話) : 어린이를 위하여 동심을 바탕으로 지은 이야기. 또는 그런 문예 작품.

話

[말할 화, 言부수, 총13획]

⑤ 동요

童謠

* 동요(童謠) : 어린이를 위하여 동심을 바탕으로 지은 노래.

謠

[노래 요, 言부수, 총17획]

⑥ 신동

神童

* 신동(神童) : 재주와 슬기가 남달리 특출한 아이.

神

[귀신 신, 示부수, 총10획]

⑦ 악동

惡童

* 악동(惡童) : 행실이 나쁜 아이. 장난이 심한 아이.

惡

[악할 악, 心부수, 총12획]

豆

콩
두
豆부수
총7획

① 대두

大豆

* 대두(大豆) : 콩과의 한해살이풀.

[큰 대, 大부수, 총3획]

② 두부

豆腐

* 두부(豆腐) : 콩으로 만든 식품의 하나.

[썩을 부, 肉부수, 총14획]

③ 두유

豆乳

* 두유(豆乳) : 물에 불린 콩을 간 다음, 물을 붓고 끓여 걸러서 만든 우유 같은 액체.

[젖 유, 乙부수, 총8획]

④ 원두

原豆

* 원두(原豆) : 가공하기 전의 커피의 열매.

[근원 원, 厂부수, 총10획]

⑤ 녹두

綠豆

* 녹두(綠豆) : 콩과의 한해살이풀.

[초록빛 록, 糸부수, 총14획]

⑥ 적두

赤豆

* 적두(赤豆) : 껍질 색깔이 검붉은 팥.

[붉을 적, 赤부수, 총7획]

⑦ 흑두

黑豆

* 흑두(黑豆) : 껍질 색이 검은 팥.

[검을 흑, 黑부수, 총12획]

登

오를 등
癶부수
총12획

登	登	登				

① 등산

登山

* 등산(登山) : 산에 오름.

山 山

[뫼 산, 山부수, 총3획]

② 등정

登頂

* 등정(登頂) : 산 따위의 꼭대기에 오름.

頂 頂

[정수리 정, 頁부수, 총11획]

③ 등교

登校

* 등교(登校) : 학생이 학교에 감.

校 校

[학교 교, 木부수, 총10획]

④ 등원

登院

* 등원(登院) : '원(院)'의 이름이 붙은 곳에 출석하거나 출두함.

院 院

[집 원, 阜부수, 총10획]

⑤ 등용

登用

* 등용(登用) : 인재를 뽑아서 씀.

用 用

[쓸 용, 用부수, 총5획]

⑥ 등장

登場

* 등장(登場) : 새로운 제품이나 현상, 인물 등이 세상에 처음으로 나옴.

場 場

[마당 장, 土부수, 총12획]

⑦ 등록

登錄

* 등록(登錄) : 일정한 자격 조건을 갖추기 위하여 단체나 학교 따위에 문서를 올림.

錄 錄

[기록할 록, 金부수, 총16획]

等

등급
등
竹부수
총12획

等

① 등급 等級

* 등급(等級) : 높고 낮음이나 좋고 나쁨 따위의 차이를 여러 층으로 구분한 단계.

級

[등급 급, 糸부수, 총10획]

② 초등 初等

* 초등(初等) : 차례가 있는 데서 맨 처음 등급. 또는 맨 아래 등급.

初

[처음 초, 刀부수, 총7획]

③ 중등 中等

* 중등(中等) : 등급을 상, 하 또는 상, 중, 하로 나눈 것의 가운데 등급.

中

[가운데 중, ㅣ부수, 총4획]

④ 고등 高等

* 고등(高等) : 등급이나 수준, 정도 따위가 높음. 또는 그런 정도.

高

[높을 고, 高부수, 총10획]

⑤ 평등 平等

* 평등(平等) : 권리, 의무, 자격 등이 차별 없이 고르고 한결같음.

平

[평평할 평, 干부수, 총5획]

⑥ 균등 均等

* 균등(均等) : 고르고 가지런하여 차별이 없음.

均

[고를 균, 土부수, 총7획]

⑦ 우등 優等

* 우등(優等) : 우수한 등급.

優

[뛰어날 우, 人부수, 총17획]

來

올
래
人부수
총8획

來	來	來				

① 내일

來日

* 내일(來日) : 오늘의 바로 다음 날.

日	日					來	日

[날 일, 日부수, 총4획]

② 내년

來年

* 내년(來年) : 올해의 바로 다음 해.

年	年					來	年

[해 년, 干부수, 총6획]

③ 미래

未來

* 미래(未來) : 앞으로 올 때.

未	未					未	來

[아닐 미, 木부수, 총5획]

④ 원래

元來

* 원래(元來) : 사물이 전하여 내려온 그 처음.

元	元					元	來

[으뜸 원, 儿부수, 총4획]

⑤ 본래

本來

* 본래(本來) : 사물이나 사실이 전하여 내려온 그 처음.

本	本					本	來

[근본 본, 木부수, 총5획]

⑥ 유래

由來

* 유래(由來) : 사물이나 일이 생겨남.

由	由					由	來

[말미암을 유, 田부수, 총5획]

⑦ 왕래

往來

* 왕래(往來) : 가고 오고 함.

往	往					往	來

[갈 왕, 彳부수, 총8획]

兩

두 량
入부수
총8획

兩	兩	兩				

① 양면
兩面

* 양면(兩面) : 사물의 두 면. 또는 겉과 안.

面	面				

[낯 면, 面부수, 총9획]

② 양국
兩國

* 양국(兩國) : 두 나라.

國	國				

[나라 국, 口부수, 총11획]

③ 양편
兩便

* 양편(兩便) : 상대가 되는 두 편.

便	便				

[편할 편, 人부수, 총9획]

④ 양성
兩性

* 양성(兩性) : 남성과 여성을 아울러 이르는 말.

性	性				

[성품 성, 心부수, 총8획]

⑤ 양립
兩立

* 양립(兩立) : 둘이 서로 굽히지 않고 맞섬.

立	立				

[설 립, 立부수, 총5획]

⑥ 양자
兩者

* 양자(兩者) : 일정한 관계에 있는 두 사람이나 사물.

者	者				

[놈 자, 老부수, 총9획]

⑦ 양분
兩分

* 양분(兩分) : 둘로 가르거나 나눔.

分	分				

[나눌 분, 刀부수, 총4획]

良

어질 량
艮부수
총7획

良	良	良				

① 양심

良心

* 양심(良心) : 옳고 그름과 선과 악의 판단을 내리는 도덕적 의식.

心 心

[마음 심, 心부수, 총4획]

② 불량

不良

* 불량(不良) : 행실이나 성품이 나쁨. 물건 따위의 품질이나 상태가 나쁨.

不 不

[아닐 불, 一부수, 총4획]

③ 우량

優良

* 우량(優良) : 물건의 품질이나 상태가 좋음.

優 優

[뛰어날 우, 人부수, 총17획]

④ 양호

良好

* 양호(良好) : 대단히 괜찮음.

好 好

[좋을 호, 女부수, 총6획]

⑤ 양질

良質

* 양질(良質) : 좋은 바탕이나 품질.

質 質

[바탕 질, 貝부수, 총15획]

⑥ 양속

良俗

* 양속(良俗) : 좋은 풍속.

俗 俗

[풍속 속, 人부수, 총9획]

⑦ 개량

改良

* 개량(改良) : 나쁜 점을 보완하여 더 좋게 고침.

改 改

[고칠 개, 攴부수, 총7획]

量

헤아릴 량
里부수
총12획

量 量 量

① 대량

大量

* 대량(大量) : 아주 많은 분량이나 수량.

大 大 | 大 量

[큰 대, 大부수, 총3획]

② 다량

多量

* 다량(多量) : 많은 분량.

多 多 | 多 量

[많을 다, 夕부수, 총6획]

③ 분량

分量

* 분량(分量) : 수효, 무게 따위의 많고 적음이나 부피의 크고 작은 정도.

分 分 | 分 量

[나눌 분, 刀부수, 총4획]

④ 물량

物量

* 물량(物量) : 물건의 분량.

物 物 | 物 量

[만물 물, 牛부수, 총8획]

⑤ 수량

數量

* 수량(數量) : 수효와 분량을 아울러 이르는 말.

數 數 | 數 量

[셀 수, 攴부수, 총15획]

⑥ 전량

全量

* 전량(全量) : 전체의 분량이나 수량.

全 全 | 全 量

[온전할 전, 入부수, 총6획]

⑦ 중량

重量

* 중량(重量) : 물건의 무거운 정도.

重 重 | 重 量

[무거울 중, 里부수, 총9획]

力

힘 력
力부수
총2획

力 力 力

① 노력
努力
* 노력(努力) : 목적을 이루기 위하여 몸과 마음을 다하여 애를 씀.
努 努 努 力
[힘쓸 로, 力부수, 총7획]

② 능력
能力
* 능력(能力) : 일을 감당해 낼 수 있는 힘.
能 能 能 力
[능할 능, 肉부수, 총10획]

③ 주력
主力
* 주력(主力) : 중심이 되는 힘.
主 主 主 力
[주인 주, 丶부수, 총5획]

④ 속력
速力
* 속력(速力) : 속도의 크기. 또는 속도를 이루는 힘.
速 速 速 力
[빠를 속, 辵부수, 총11획]

⑤ 기력
氣力
* 기력(氣力) : 사람의 몸으로 활동할 수 있는 정신과 육체의 힘.
氣 氣 氣 力
[기운 기, 气부수, 총10획]

⑥ 시력
視力
* 시력(視力) : 물체의 존재나 형상을 인식하는 눈의 능력.
視 視 視 力
[볼 시, 見부수, 총12획]

⑦ 협력
協力
* 협력(協力) : 힘을 합하여 서로 도움.
協 協 協 力
[도울 협, 十부수, 총8획]

令

명령할 령
人부수
총5획

令

① 명령

命令

* 명령(命令) : 윗사람이나 상위 조직이 아랫사람이나 하위 조직에 무엇을 하게 함.

命

[목숨 명, 口부수, 총8획]

② 구령

口令

* 구령(口令) : 일정한 동작을 일제히 취하도록 지휘자가 말로 내리는 간단한 명령.

口

[입 구, 口부수, 총3획]

③ 발령

發令

* 발령(發令) : 명령을 내림. 또는 그 명령. 흔히 직책이나 직위와 관계된 경우를 이른다.

發

[필 발, 癶부수, 총12획]

④ 왕령

王令

* 왕령(王令) : 임금의 명령.

王

[임금 왕, 玉부수, 총4획]

⑤ 법령

法令

* 법령(法令) : 법령과 명령을 아울러 이르는 말.

法

[법 법, 水부수, 총8획]

⑥ 영장

令狀

* 영장(令狀) : 명령의 뜻을 기록한 서장.

狀

[문서 장, 犬부수, 총8획]

⑦ 군령

軍令

* 군령(軍令) : 군사상의 명령.

軍

[군사 군, 車부수, 총9획]

老

늙을 로
老부수
총6획

老 老 老

① 노인

老人

* 노인(老人) : 나이가 들어 늙은 사람.

人 人

[사람 인, 人부수, 총2획]

② 노년

老年

* 노년(老年) : 나이가 들어 늙은 때.

年 年

[해 년, 干부수, 총6획]

③ 노후

老後

* 노후(老後) : 늙어진 뒤.

後 後

[뒤 후, 彳부수, 총9획]

④ 노화

老化

* 노화(老化) : 시간이 흐름에 따라 생체 구조와 기능이 쇠퇴하는 현상.

化 化

[될 화, 匕부수, 총4획]

⑤ 원로

元老

* 원로(元老) : 한 가지 일에 오래 종사하여 경험과 공로가 많은 사람.

元 元

[으뜸 원, 儿부수, 총4획]

⑥ 노송

老松

* 노송(老松) : 늙은 소나무.

松 松

[소나무 송, 木부수, 총8획]

⑦ 노소

老少

* 노소(老少) : 늙은이와 젊은이를 아울러 이르는 말.

少 少

[적을 소, 小부수, 총4획]

六

여섯 륙
八부수
총4획

六 六 六

① 오륙 五六

* 오륙(五六) : 그 수량이 다섯이나 여섯임을 나타내는 말.

五 五

[다섯 오, 二부수, 총4획]

② 육칠 六七

* 육칠(六七) : 그 수량이 여섯이나 일곱임을 나타내는 말.

七 七

[일곱 칠, 一부수, 총2획]

③ 육촌 六寸

* 육촌(六寸) : 사촌의 자녀끼리의 촌수.

寸 寸

[마디 촌, 寸부수, 총3획]

④ 육서 六書

* 육서(六書) : 한자의 여섯 가지의 명칭. 상형, 지사, 회의, 형성, 전주, 가차를 이른다.

書 書

[글 서, 曰부수, 총10획]

⑤ 육품 六品

* 육품(六品) : 고려·조선시대에 둔, 문무관 품계의 여섯째. 정육품과 종육품이 있었다.

品 品

[물건 품, 口부수, 총9획]

⑥ 육갑 六甲

* 육갑(六甲) : 천간(天干), 지지(地支)를 순차로 배합하여 예순 가지로 늘어놓은 것.

甲 甲

[갑옷 갑, 田부수, 총5획]

⑦ 육감 六感

* 육감(六感) : 오감(시각, 청각, 후각, 미각, 촉각) 이외의 감각.

感 感

[느낄 감, 心부수, 총13획]

律

법
률
彳부수
총9획

律 律 律

① 법률

法律

* 법률(法律) : 국가의 강제력을 수반하는 사회 규범. 국가 및 공공 기관이 제정한 법률, 명령, 규칙, 조례 따위이다.

法 法 法 律

[법 법, 水부수, 총8획]

② 규율

規律

* 규율(規律) : 질서나 제도를 유지하기 위하여 정하여 놓은, 행동의 준칙이 되는 본보기.

規 規 規 律

[법 규, 見부수, 총11획]

③ 자율

自律

* 자율(自律) : 남의 지배나 구속을 받지 아니하고 자기 스스로의 원칙에 따라 어떤 일을 하는 일.

自 自 自 律

[스스로 자, 自부수, 총6획]

④ 타율

他律

* 타율(他律) : 자신의 의지와 관계없이 정해진 원칙이나 규율에 따라 움직이는 일.

他 他 他 律

[다를 타, 人부수, 총5획]

⑤ 조율

調律

* 조율(調律) : 악기의 음을 표준음에 맞추어 고름.

調 調 調 律

[고를 조, 言부수, 총15획]

⑥ 율동

律動

* 율동(律動) : 일정한 규칙을 따라 주기적으로 움직임.

動 動 律 動

[움직일 동, 力부수, 총11획]

⑦ 음율

音律

* 음율(音律) : 소리와 음악의 가락.

音 音 音 律

[소리 음, 音부수, 총9획]

利

이로울 리
刀부수
총7획

利 利 利

① 이용

利用

* 이용(利用) : 대상을 필요에 따라 이롭게 씀.

用 用

利 用

[쓸 용, 用부수, 총5획]

② 편리

便利

* 편리(便利) : 편하고 이로우며 이용하기 쉬움.

便 便

便 利

[편할 편, 人부수, 총9획]

③ 이익

利益

* 이익(利益) : 물질적으로나 정신적으로 보탬이 되는 것.

益 益

利 益

[더할 익, 皿부수, 총10획]

④ 이해

利害

* 이해(利害) : 이익과 손해를 아울러 이르는 말.

害 害

利 害

[해로울 해, 宀부수, 총10획]

⑤ 승리

勝利

* 승리(勝利) : 겨루어서 이김.

勝 勝

勝 利

[이길 승, 力부수, 총12획]

⑥ 이자

利子

* 이자(利子) : 남에게 돈을 빌려 쓴 대가로 치르는 일정한 비율의 돈.

子 子

利 子

[아들 자, 子부수, 총3획]

⑦ 금리

金利

* 금리(金利) : 빌려준 돈이나 예금 따위에 붙는 이자. 또는 그 비율.

金 金

金 利

[쇠 금, 金부수, 총8획]

吏

벼슬아치 리
口부수
총6획

吏 吏 吏

① 관리
官吏
* 관리(官吏) : 관직에 있는 사람.
官 官
[벼슬 관, 宀부수, 총8획]
官 吏

② 이도
吏道
* 이도(吏道) : 관리로서 마땅히 지켜야 할 도리.
道 道
[길 도, 辵부수, 총13획]
吏 道

③ 이방
吏房
* 이방(吏房) : 조선 시대에, 각 지방 관아의 이방에 속하여 인사, 비서 따위에 관한 일을 맡아보던 구실아치.
房 房
[방 방, 戶부수, 총8획]
吏 房

④ 형리
刑吏
* 형리(刑吏) : 지방 관아의 형방에 속한 구실아치.
刑 刑
[형벌 형, 刀부수, 총6획]
刑 吏

⑤ 탐리
貪吏
* 탐리(貪吏) : 백성의 재물을 탐내어 빼앗는 관리.
貪 貪
[탐할 탐, 貝부수, 총11획]
貪 吏

⑥ 오리
汚吏
* 오리(汚吏) : 청렴하지 못한 벼슬아치.
汚 汚
[더러울 오, 水부수, 총6획]
汚 吏

⑦ 청백리
淸白吏
* 청백리(淸白吏) : 재물에 대한 욕심이 없이 곧고 깨끗한 관리.
淸 淸 白 白
[맑을 청, 水부수, 총11획] [흰 백, 白부수, 총5획]
淸 白 吏

里

마을 리
里부수
총7획

里 里 里

① 촌리

村里

* 촌리(村里) : 주로 시골에서, 여러 집이 모여 사는 곳.

村 村 | 村 里

[마을 촌, 木부수, 총7획]

② 동리

洞里

* 동리(洞里) : 주로 시골에서, 여러 집이 모여 사는 곳.

洞 洞 | 洞 里

[고을 동, 水부수, 총9획]

③ 면리

面里

* 면리(面里) : 지방 행정 단위인 면(面)과 이(里)를 아울러 이르는 말.

面 面 | 面 里

[낯 면, 面부수, 총9획]

④ 이장

里長

* 이장(里長) : 행정 구역의 단위인 이(里)를 대표하여 일을 맡아보는 사람.

長 長 | 里 長

[길 장, 長부수, 총8획]

⑤ 해리

海里

* 해리(海里) : 거리의 단위. 바다 위나 공중에서 긴 거리를 나타낼 때 쓴다.

海 海 | 海 里

[바다 해, 水부수, 총10획]

⑥ 삼천리

三千里

* 삼천리(三千里) : 우리나라 전체를 비유적으로 이르는 말.

三 三 千 千 | 三 千 里

[석 삼, 一부수, 총3획] [일천 천 , 十부수, 총3획]

⑦ 구만리

九萬里

* 구만리(九萬里) : 아득하게 먼 거리를 비유적으로 이르는 말.

九 九 萬 萬 | 九 萬 里

[아홉 구, 乙부수, 총2획] [일만 만, 艸부수, 총13획]

理

다스릴 리
玉부수
총11획

理 理 理

① 이념
理念
* 이념(理念) : 이상적인 것으로 여겨지는 생각이나 견해.
念 念
[생각할 념, 心부수, 총8획]
理 念

② 이치
理致
* 이치(理致) : 사물의 정당한 조리(條理). 또는 도리에 맞는 취지.
致 致
[이를 치, 至부수, 총10획]
理 致

③ 이유
理由
* 이유(理由) : 어떠한 결론이나 결과에 이른 까닭이나 근거.
由 由
[말미암을 유, 田부수, 총5획]
理 由

④ 이해
理解
* 이해(理解) : 사리를 분별하여 해석함.
解 解
[풀 해, 角부수, 총13획]
理 解

⑤ 논리
論理
* 논리(論理) : 말이나 글에서 사고나 추리 따위를 이치에 맞게 이끌어 가는 과정이나 원리.
論 論
[논의할 론, 言부수, 총15획]
論 理

⑥ 관리
管理
* 관리(管理) : 어떤 일의 사무를 맡아 처리함.
管 管
[맡을 관, 竹부수, 총14획]
管 理

⑦ 정리
整理
* 정리(整理) : 흐트러지거나 혼란스러운 상태에 있는 것을 한데 모으거나 치워서 질서 있는 상태가 되게 함.
整 整
[가지런할 정, 攴부수, 총16획]
整 理

林

수풀
림
木부수
총8획

林 林 林

① 산림

山林

* 산림(山林) : 산과 숲, 또는 산에 있는 숲.

山 山 林

[뫼 산, 山부수, 총3획]

② 삼림

森林

* 삼림(森林) : 나무가 많이 우거진 숲.

森 森 林

[빽빽할 삼, 木부수, 총12획]

③ 밀림

密林

* 밀림(密林) : 큰 나무들이 빽빽하게 들어선 깊은 숲.

密 密 林

[빽빽할 밀, 宀부수, 총11획]

④ 죽림

竹林

* 죽림(竹林) : 대나무로 이루어진 숲.

竹 竹 林

[대 죽, 竹부수, 총6획]

⑤ 송림

松林

* 송림(松林) : 소나무가 우거진 숲.

松 松 林

[소나무 송, 木부수, 총8획]

⑥ 임업

林業

* 임업(林業) : 각종 임산물에서 얻는 경제적 이윤을 위하여 삼림을 경영하는 사업.

業 業 林 業

[업 업, 木부수, 총13획]

⑦ 임야

林野

* 임야(林野) : 숲과 들을 아울러 이르는 말.

野 野 林 野

[들 야, 里부수, 총11획]

立

설
립
立부수
총5획

立 立 立

① 자립

自立

* 자립(自立) : 남에게 예속되거나 의지하지 아니하고 스스로 섬.

自 立

自 自

[스스로 자, 自부수, 총6획]

② 중립

中立

* 중립(中立) : 어느 편에도 치우치지 않고 중간적인 입장에 섬. 또는 그런 입장.

中 立

中 中

[가운데 중, 丨부수, 총4획]

③ 성립

成立

* 성립(成立) : 일이나 관계 따위가 제대로 이루어짐.

成 立

成 成

[이룰 성, 戈부수, 총7획]

④ 국립

國立

* 국립(國立) : 공공의 이익을 위하여 나라의 예산으로 세우고 관리함.

國 立

國 國

[나라 국, 囗부수, 총11획]

⑤ 공립

公立

* 공립(公立) : 지방 자치 단체가 세워서 운영함. 또는 그런 시설.

公 立

公 公

[공변될 공, 八부수, 총4획]

⑥ 입장

立場

* 입장(立場) : 당면하고 있는 상황.

立 場

場 場

[마당 장, 土부수, 총12획]

⑦ 입지

立地

* 입지(立地) : 식물이 생육하는 일정한 장소의 환경.

立 地

地 地

[땅 지, 土부수, 총6획]

馬

말
마
馬부수
총10획

馬 馬 馬

① 마차

馬車

* 마차(馬車) : 말이 끄는 수레.

車 車

[수레 차, 車부수, 총7획]

馬 車

② 마부

馬夫

* 마부(馬夫) : 말을 부려 마차나 수레를 모는 사람.

夫 夫

[사내 부, 大부수, 총4획]

馬 夫

③ 목마

木馬

* 목마(木馬) : 나무로 말의 모양을 깎아 만든 물건.

木 木

[나무 목, 木부수, 총4획]

木 馬

④ 승마

乘馬

* 승마(乘馬) : 말을 탐.

乘 乘

[탈 승, 丿부수, 총10획]

乘 馬

⑤ 경마

競馬

* 경마(競馬) : 일정한 거리를 말을 타고 달려 빠르기를 겨루는 경기.

競 競

[다툴 경, 立부수, 총20획]

競 馬

⑥ 하마

河馬

* 하마(河馬) : 하마과의 하나.

河 河

[강물 하, 水부수, 총8획]

河 馬

⑦ 해마

海馬

* 해마(海馬) : 실고깃과의 바닷물고기.

海 海

[바다 해, 水부수, 총10획]

海 馬

萬

일만 만
艸부수
총13획

萬

① 백만
百萬
* 백만(百萬) : 만의 백 배 되는 수.
百
[일백 백, 白부수, 총6획]

② 천만
千萬
* 천만(千萬) : 만의 천 배 되는 수.
千
[일천 천, 十부수, 총3획]

③ 만물
萬物
* 만물(萬物) : 세상에 있는 모든 것.
物
[만물 물, 牛부수, 총8획]

④ 만사
萬事
* 만사(萬事) : 여러 가지 온갖 일.
事
[일 사, 亅부수, 총8획]

⑤ 만능
萬能
* 만능(萬能) : 모든 일에 능통하거나 모든 일을 다 할 수 있음.
能
[능할 능, 肉부수, 총10획]

⑥ 만일
萬一
* 만일(萬一) : 혹시 있을지도 모르는 뜻밖의 경우.
一
[하나 일, 一부수, 총1획]

⑦ 만약
萬若
* 만약(萬若) : 혹시 있을지도 모르는 뜻밖의 경우.
若
[같을 약, 艸부수, 총9획]

末

끝 말
木부수
총5획

末 末 末

① 연말
年末
* 연말(年末) : 한 해의 마지막 무렵.
年 年 | 年 末
[해 년, 干부수, 총6획]

② 월말
月末
* 월말(月末) : 달의 끝 무렵.
月 月 | 月 末
[달 월, 月부수, 총4획]

③ 주말
週末
* 주말(週末) : 한 주일의 끝 무렵.
週 週 | 週 末
[돌 주, 辶부수, 총12획]

④ 말복
末伏
* 말복(末伏) : 삼복 가운데 마지막에 드는 복날.
伏 伏 | 末 伏
[엎드릴 복, 人부수, 총6획]

⑤ 결말
結末
* 결말(結末) : 어떤 일이 마무리되는 끝.
結 結 | 結 末
[맺을 결, 糸부수, 총12획]

⑥ 기말
期末
* 기말(期末) : 기간이나 학기 따위의 끝.
期 期 | 期 末
[기약할 기, 月부수, 총12획]

⑦ 분말
粉末
* 분말(粉末) : 딱딱한 물건을 보드라울 정도로 잘게 부수거나 갈아서 만든 것.
粉 粉 | 粉 末
[가루 분, 米부수, 총10획]

亡

망할 망
亠부수
총3획

亡 亡 亡

① 망신
亡身
* 망신(亡身) : 말이나 행동을 잘못하여 자기의 지위, 명예, 체면 따위를 손상함.
亡 身
身 身
[몸 신, 身부수, 총7획]

② 사망
死亡
* 사망(死亡) : 사람이 죽음.
死 亡
死 死
[죽을 사, 歹부수, 총6획]

③ 흥망
興亡
* 흥망(興亡) : 잘되어 일어남과 못되어 없어짐.
興 亡
興 興
[흥할 흥, 臼부수, 총16획]

④ 멸망
滅亡
* 멸망(滅亡) : 망하여 없어짐.
滅 亡
滅 滅
[멸망할 멸, 水부수, 총13획]

⑤ 패망
敗亡
* 패망(敗亡) : 싸움에 져서 망함.
敗 亡
敗 敗
[패할 패, 攴부수, 총11획]

⑥ 도망
逃亡
* 도망(逃亡) : 피하거나 쫓기어 달아남.
逃 亡
逃 逃
[달아날 도, 辵부수, 총10획]

⑦ 망명
亡命
* 망명(亡命) : 위험이 있는 사람이 이를 피하기 위하여 외국으로 몸을 옮김.
亡 命
命 命
[목숨 명, 口부수, 총8획]

每

매양 매
毋부수
총7획

每	每	每				

① 매일

每日

* 매일(每日) : 하루하루마다.

日	日					每	日

[날 일, 日부수, 총4획]

② 매주

每週

* 매주(每週) : 각각의 주마다.

週	週					每	週

[돌 주, 辶부수, 총12획]

③ 매사

每事

* 매사(每事) : 하나하나의 일마다.

事	事					每	事

[일 사, 亅부수, 총8획]

④ 매번

每番

* 매번(每番) : 매 때마다.

番	番					每	番

[차례 번, 田부수, 총12획]

⑤ 매시

每時

* 매시(每時) : 한 시간 한 시간마다.

時	時					每	時

[때 시, 日부수, 총10획]

⑥ 매분

每分

* 매분(每分) : 일 분마다.

分	分					每	分

[나눌 분, 刀부수, 총4획]

⑦ 매초

每秒

* 매초(每秒) : 일 초 일 초마다.

秒	秒					每	秒

[초 초, 禾부수, 총9획]

賣

팔 매
貝부수
총15획

賣

① 매매

賣買

* 매매(賣買) : 물건을 팔고 사는 일.

買

[살 매, 貝부수, 총12획]

② 매장

賣場

* 매장(賣場) : 물건을 파는 장소.

場

[마당 장, 土부수, 총12획]

③ 매점

賣店

* 매점(賣店) : 어떤 기관이나 단체 안에서 물건을 파는 작은 상점.

店

[가게 점, 广부수, 총8획]

④ 판매

販賣

* 판매(販賣) : 상품 따위를 팖.

販

[팔 판, 貝부수, 총11획]

⑤ 매출

賣出

* 매출(賣出) : 물건 따위를 내다 파는 일.

出

[날 출, 凵부수, 총5획]

⑥ 매각

賣却

* 매각(賣却) : 물건을 팔아 버림.

却

[물리칠 각, 卩부수, 총3획]

⑦ 매도

賣渡

* 매도(賣渡) : 값을 받고 물건의 소유권을 다른 사람에게 넘김.

渡

[건널 도, 水부수, 총12획]

面

낯 면
面부수
총9획

面	面	面				

① 정면 正面

* 정면(正面) : 똑바로 마주 보이는 면.

正	正					正	面

[바를 정, 止부수, 총5획]

② 표면 表面

* 표면(表面) : 사물의 가장 바깥쪽. 또는 가장 윗부분.

表	表					表	面

[겉 표, 衣부수, 총8획]

③ 평면 平面

* 평면(平面) : 평평한 표면.

平	平					平	面

[평평할 평, 干부수, 총5획]

④ 화면 畵面

* 화면(畵面) : 그림 따위를 그린 면. 텔레비전이나 컴퓨터 따위에서 그림이나 영상이 나타나는 면.

畵	畵					畵	面

[그림 화, 田부수, 총12획]

⑤ 서면 書面

* 서면(書面) : 글씨를 쓴 지면. 일정한 내용을 적은 문서.

書	書					書	面

[글 서, 曰부수, 총10획]

⑥ 초면 初面

* 초면(初面) : 처음으로 대하는 얼굴.

初	初					初	面

[처음 초, 刀부수, 총7획]

⑦ 반면 反面

* 반면(反面) : 뒤에 오는 말이 앞의 내용과 상반됨을 나타내는 말.

反	反					反	面

[돌이킬 반, 又부수, 총4획]

名

이름
명
口부수
총6획

名	名	名				

① 유명

有名

* 유명(有名) : 이름이 널리 알려져 있음.

有 有 / 有 名

[있을 유, 月부수, 총6획]

② 명소

名所

* 명소(名所) : 경치나 고적, 산물 따위로 널리 알려진 곳.

所 所 / 名 所

[바 소, 口부수, 총6획]

③ 명단

名單

* 명단(名單) : 어떤 일에 관련된 사람들의 이름을 적은 표.

單 單 / 名 單

[홑 단, 口부수, 총12획]

④ 별명

別名

* 별명(別名) : 사람의 외모나 성격 따위의 특징을 바탕으로 남들이 지어 부르는 이름.

別 別 / 別 名

[다를 별, 刀부수, 총7획]

⑤ 실명

實名

* 실명(實名) : 실제의 이름.

實 實 / 實 名

[열매 실, 宀부수, 총14획]

⑥ 병명

病名

* 병명(病名) : 병의 이름.

病 病 / 病 名

[병들 병, 疒부수, 총10획]

⑦ 죄명

罪名

* 죄명(罪名) : 죄의 이름.

罪 罪 / 罪 名

[허물 죄, 网부수, 총13획]

命

목숨 명
口부수
총8획

命 命 命

① 생명

生命

* 생명(生命) : 사람이 살아서 숨 쉬고 활동할 수 있게 하는 힘.

生 生

[날 생, 生부수, 총5획]

生 命

② 수명

壽命

* 수명(壽命) : 생물이 살아 있는 연한.

壽 壽

[목숨 수, 士부수, 총14획]

壽 命

③ 임명

任命

* 임명(任命) : 일정한 지위나 임무를 남에게 맡김.

任 任

[맡길 임, 人부수, 총6획]

任 命

④ 사명감

使命感

* 사명감(使命感) : 주어진 임무를 잘 수행하려는 마음가짐.

使 使 感 感

[부릴 사, 人부수, 총8획] [느낄 감, 心부수, 총13획]

使 命 感

⑤ 혁명

革命

* 혁명(革命) : 국가 기초, 사회 제도, 경제 제도, 조직 따위를 근본적으로 고치는 일.

革 革

[가죽 혁, 革부수, 총9획]

革 命

⑥ 운명

運命

* 운명(運命) : 인간을 포함한 모든 것을 지배하는 초인간적인 힘.

運 運

[돌 운, 辵부수, 총13획]

運 命

⑦ 숙명

宿命

* 숙명(宿命) : 날 때부터 타고난 정해진 운명. 또는 피할 수 없는 운명.

宿 宿

[잠잘 숙, 宀부수, 총11획]

宿 命

明

밝을 명
日부수
총8획

明	明	明				

① 명암

明暗

* 명암(明暗) : 밝음과 어두움을 통틀어 이르는 말.

暗	暗				明	暗

[어두울 암, 日부수, 총13획]

② 명도

明度

* 명도(明度) : 색의 밝고 어두운 정도.

度	度				明	度

[법도 도, 广부수, 총9획]

③ 설명

說明

* 설명(說明) : 어떤 일이나 대상의 내용을 상대편이 잘 알 수 있도록 밝혀 말함.

說	說				說	明

[말씀 설, 言부수, 총14획]

④ 분명

分明

* 분명(分明) : 틀림없이 확실하게.

分	分				分	明

[나눌 분, 刀부수, 총4획]

⑤ 투명

透明

* 투명(透明) : 물 따위가 속까지 환히 비치도록 맑음.

透	透				透	明

[통할 투, 辶부수, 총11획]

⑥ 명랑

明朗

* 명랑(明朗) : 흐린 데 없이 밝고 환함.

朗	朗				明	朗

[밝을 랑, 月부수, 총11획]

⑦ 총명

聰明

* 총명(聰明) : 보거나 들은 것을 오래 기억하는 힘이 있음. 썩 영리하고 재주가 있음.

聰	聰				聰	明

[밝을 총, 耳부수, 총17획]

母

어머니
모
毋부수
총5획

母 母 母

① 부모

父母

* 부모(父母) : 아버지와 어머니를 아울러 이르는 말.

父 父

[아버지 부, 父부수, 총4획]

父 母

② 모자

母子

* 모자(母子) : 어머니와 아들을 아울러 이르는 말.

子 子

[아들 자, 子부수, 총3획]

母 子

③ 모녀

母女

* 모녀(母女) : 어머니와 딸을 아울러 이르는 말.

女 女

[여자 녀, 女부수, 총3획]

母 女

④ 모유

母乳

* 모유(母乳) : 제 어미의 젖.

乳 乳

[젖 유, 乙부수, 총8획]

母 乳

⑤ 모성애

母性愛

* 모성애(母性愛) : 자식에 대한 어머니의 본능적인 사랑.

性 性

[성품 성, 心부수, 총8획]

愛 愛

[사랑 애, 心부수, 총13획]

母 性 愛

⑥ 모교

母校

* 모교(母校) : 자기가 다니거나 졸업한 학교.

校 校

[학교 교, 木부수, 총10획]

母 校

⑦ 모국

母國

* 모국(母國) : 자기가 태어난 나라.

國 國

[나라 국, 口부수, 총11획]

母 國

毛

털 모
毛부수
총4획

① 모피 毛皮

* 모피(毛皮) : 털이 그대로 붙어 있는 짐승의 가죽.

[가죽 피, 皮부수, 총5획]

② 모발 毛髮

* 모발(毛髮) : 사람의 몸에 난 털을 통틀어 이르는 말.

[터럭 발, 髟부수, 총15획]

③ 체모 體毛

* 체모(體毛) : 몸 털.

[몸 체, 骨부수, 총23획]

④ 모공 毛孔

* 모공(毛孔) : 털이 나는 작은 구멍.

[구멍 공, 子부수, 총4획]

⑤ 모근 毛根

* 모근(毛根) : 털이 피부에 박힌 부분.

[뿌리 근, 木부수, 총10획]

⑥ 이모작 二毛作

* 이모작(二毛作) : 같은 땅에서 1년에 종류가 다른 농작물을 두 번 심어 거둠.

[두 이, 二부수, 총2획] [지을 작, 人부수, 총7획]

⑦ 불모지 不毛地

* 불모지(不毛地) : 식물이 자라지 못하는 거칠고 메마른 땅.

[아닐 불, 一부수, 총4획] [땅 지, 土부수, 총6획]

木

나무
목
木부수
총4획

木 木 木

① 초목
草木

* 초목(草木) : 풀과 나무를 아울러 이르는 말.

草 草 | 草 木

[풀 초, 艸부수, 총10획]

② 토목
土木

* 토목(土木) : 흙과 나무를 아울러 이르는 말. 땅과 하천 따위를 고쳐 만드는 공사.

土 土 | 土 木

[흙 토, 土부수, 총3획]

③ 목공
木工

* 목공(木工) : 나무를 다루어서 물건을 만드는 일.

工 工 | 木 工

[장인 공, 工부수, 총3획]

④ 목재
木材

* 목재(木材) : 건축이나 가구 따위에 쓰는, 나무로 된 재료.

材 材 | 木 材

[재목 재, 木부수, 총7획]

⑤ 수목
樹木

* 수목(樹木) : 살아 있는 나무. 목본 식물을 통틀어 이르는 말.

樹 樹 | 樹 木

[나무 수, 木부수, 총16획]

⑥ 식목
植木

* 식목(植木) : 나무를 심음. 또는 그 나무.

植 植 | 植 木

[심을 식, 木부수, 총12획]

⑦ 벌목
伐木

* 벌목(伐木) : 숲의 나무를 벰.

伐 伐 | 伐 木

[칠 벌, 人부수, 총6획]

目

눈 목
目부수
총5획

目

① 이목
耳目
* 이목(耳目) : 귀와 눈을 아울러 이르는 말. 주의나 관심.
耳
[귀 이, 耳부수, 총6획]

② 주목
注目
* 주목(注目) : 관심을 가지고 주의 깊게 살핌. 또는 그 시선.
注
[물댈 주, 水부수, 총8획]

③ 안목
眼目
* 안목(眼目) : 사물을 보고 분별하는 견식.
眼
[눈 안, 目부수, 총11획]

④ 목표
目標
* 목표(目標) : 어떤 목적을 이루려고 지향하는 실제적 대상으로 삼음. 또는 그 대상.
標
[표 표, 木부수, 총15획]

⑤ 목적
目的
* 목적(目的) : 실현하려고 하는 일이나 나아가는 방향.
的
[과녁 적, 白부수, 총8획]

⑥ 과목
科目
* 과목(科目) : 가르치거나 배워야 할 지식 및 경험의 체계를 세분하여 계통을 세운 영역.
科
[과목 과, 禾부수, 총9획]

⑦ 목록
目錄
* 목록(目錄) : 어떤 물품의 이름이나 책 제목 따위를 일정한 순서로 적은 것.
錄
[기록할 록, 金부수, 총16획]

無

없을 무
火부수
총12획

無	無	無				

① 유무
有無

* 유무(有無) : 있음과 없음.

有 有

[있을 유, 月부수, 총6획]

② 무지
無知

* 무지(無知) : 아는 것이 없음.

知 知

[알 지, 矢부수, 총8획]

③ 무시
無視

* 무시(無視) : 사물의 존재 의의나 가치를 알아주지 아니함. 사람을 깔보거나 업신여김.

視 視

[볼 시, 見부수, 총12획]

④ 무질서
無秩序

* 무질서(無秩序) : 질서가 없음.

秩 秩 序 序

[차례 질, 禾부수, 총10획] [차례 서, 广부수, 총7획]

⑤ 무조건
無條件

* 무조건(無條件) : 아무 조건도 없음.

條 條 件 件

[가지 조, 木부수, 총11획] [사건 건, 人부수, 총6획]

⑥ 무료
無料

* 무료(無料) : 요금이 없음. 급료가 없음.

料 料

[헤아릴 료, 斗부수, 총10획]

⑦ 허무
虛無

* 허무(虛無) : 아무것도 없이 텅 빔.

虛 虛

[빌 허, 虍부수, 총12획]

門

문
문
門부수
총8획

門 門 門

① 대문

大門

* 대문(大門) : 큰 문. 주로, 한 집의 주가 되는 출입문을 이른다.

大 大 大 門

[큰 대, 大부수, 총3획]

② 정문

正門

* 정문(正門) : 건물의 정면에 있는 주가 되는 출입문.

正 正 正 門

[바를 정, 止부수, 총5획]

③ 창문

窓門

* 창문(窓門) : 공기나 햇빛을 받을 수 있고, 밖을 내다볼 수 있도록 벽이나 지붕에 낸 문.

窓 窓 窓 門

[창문 창, 穴부수, 총11획]

④ 교문

校門

* 교문(校門) : 학교의 문.

校 校 校 門

[학교 교, 木부수, 총10획]

⑤ 가문

家門

* 가문(家門) : 가족 또는 가까운 일가로 이루어진 공동체. 또는 그 사회적 지위.

家 家 家 門

[집 가, 宀부수, 총10획]

⑥ 명문

名門

* 명문(名門) : 이름 있는 문벌. 또는 훌륭한 집안.

名 名 名 門

[이름 명, 口부수, 총6획]

⑦ 문호

門戶

* 문호(門戶) : 집으로 드나드는 문. 외부와 교류하기 위한 통로나 수단을 비유적으로 이르는 말.

戶 戶 門 戶

[집 호, 戶부수, 총4획]

文

글월 문
文부수
총4획

文 文 文

① 문자
文字

* 문자(文字) : 예전부터 전하여 내려오는, 한자로 된 숙어나 성구 또는 문장.

字 字

[글자 자, 子부수, 총6획]

② 한문
漢文

* 한문(漢文) : 한자(漢字)만으로 쓴 글.

漢 漢

[한나라 한, 水부수, 총14획]

③ 문학
文學

* 문학(文學) : 사상이나 감정을 언어로 표현한 예술. 또는 그런 작품.

學 學

[배울 학, 子부수, 총16획]

④ 문장
文章

* 문장(文章) : 생각이나 감정을 말과 글로 표현할 때 완결된 내용을 나타내는 최소 단위.

章 章

[글 장, 立부수, 총11획]

⑤ 문서
文書

* 문서(文書) : 글이나 기호 따위로 일정한 의사나 관념 또는 사상을 나타낸 것.

書 書

[글 서, 日부수, 총10획]

⑥ 문화
文化

* 문화(文化) : 의식주를 비롯하여 언어, 풍습, 학문, 예술, 제도 따위를 모두 포함한다.

化 化

[될 화, 匕부수, 총4획]

⑦ 문물
文物

* 문물(文物) : 문화의 산물.

物 物

[만물 물, 牛부수, 총8획]

未

아닐 미
木부수
총5획

未	未	未				

① 미래 未來

* 미래(未來) : 앞으로 올 때.

來

[올 래, 人부수, 총8획]

② 미안 未安

* 미안(未安) : 남에게 대하여 마음이 편치 못하고 부끄러움.

安

[편안할 안, 宀부수, 총6획]

③ 미지 未知

* 미지(未知) : 아직 알지 못함.

知

[알 지, 矢부수, 총8획]

④ 미정 未定

* 미정(未定) : 아직 정하지 못함.

定

[정할 정, 宀부수, 총8획]

⑤ 미비 未備

* 미비(未備) : 아직 다 갖추지 못한 상태에 있음.

備

[갖출 비, 人부수, 총12획]

⑥ 미만 未滿

* 미만(未滿) : 정한 수효나 정도에 차지 못함.

滿

[찰 만, 水부수, 총14획]

⑦ 미공개 未公開

* 미공개(未公開) : 어떤 사실이나 사물, 내용 따위를 여러 사람에게 알리지 아니함.

公 開

[공변될 공, 八부수, 총4획] [열 개, 門부수, 총12획]

米

쌀 미
米부수
총6획

米	米	米				

① 백미

白米

* 백미(白米) : 희게 쓿은 멥쌀. 흰쌀.

白	白					白	米

[흰 백, 白부수, 총5획]

② 흑미

黑米

* 흑미(黑米) : 겉이 검은 쌀의 한 종류.

黑	黑					黑	米

[검을 흑, 黑부수, 총12획]

③ 현미

玄米

* 현미(玄米) : 벼의 겉껍질만 벗겨 낸 쌀.

玄	玄					玄	米

[검을 현, 玄부수, 총5획]

④ 미곡

米穀

* 미곡(米穀) : 벼에서 껍질을 벗겨 낸 알맹이.

穀	穀					米	穀

[곡식 곡, 禾부수, 총15획]

⑤ 미음

米飮

* 미음(米飮) : 입쌀이나 좁쌀에 물을 충분히 붓고 푹 끓여 체에 걸러 낸 걸쭉한 음식.

飮	飮					米	飮

[마실 음, 食부수, 총13획]

⑥ 정부미

政府米

* 정부미(政府米) : 정부가 쌀값 조절을 위하여 사들여 보유하고 있는 쌀.

政	政		府	府		政	府
						米	

[정사 정, 攵부수, 총8획] [마을 부, 广부수, 총8획]

⑦ 정미소

精米所

* 정미소(精米所) : 쌀 찧는 일을 전문적으로 하는 곳.

精	精		所	所		精	米
						所	

[정미할 정, 米부수, 총14획] [바 소, 戶부수, 총8획]

美

아름다울 미
羊부수
총9획

美 美 美

① 미술

美術

* 미술(美術) : 공간 및 시각의 미를 표현하는 예술.

術 術

美 術

[꾀 술, 行부수, 총11획]

② 미용

美容

* 미용(美容) : 아름다운 얼굴. 얼굴이나 머리를 아름답게 매만짐.

容 容

美 容

[얼굴 용, 宀부수, 총10획]

③ 미풍

美風

* 미풍(美風) : 아름다운 풍속.

風 風

美 風

[바람 풍, 風부수, 총9획]

④ 미덕

美德

* 미덕(美德) : 아름답고 갸륵한 덕행.

德 德

美 德

[덕 덕, 彳부수, 총15획]

⑤ 미담

美談

* 미담(美談) : 사람을 감동시킬 만큼 아름다운 내용을 가진 이야기.

談 談

美 談

[말씀 담, 言부수, 총15획]

⑥ 한미

韓美

* 한미(韓美) : 한국과 미국을 아울러 이르는 말.

韓 韓

韓 美

[나라 한, 韋부수, 총17획]

⑦ 재미

在美

* 재미(在美) : 미국에 살고 있음.

在 在

在 美

[있을 재, 土부수, 총6획]

民

백성
민
氏부수
총5획

民	民	民				

① 국민
國民

* 국민(國民) : 국가를 구성하는 사람. 또는 그 나라의 국적을 가진 사람.

國 國 | 國 民

[나라 국, 口부수, 총11획]

② 민족
民族

* 민족(民族) : 일정한 지역에서 오랜 세월 동안 공동생활을 하면서 언어와 문화상의 공통성에 기초하여 역사적으로 형성된 사회집단.

族 族 | 民 族

[겨레 족, 方부수, 총11획]

③ 민중
民衆

* 민중(民衆) : 국가나 사회를 구성하는 일반 국민.

衆 衆 | 民 衆

[무리 중, 血부수, 총12획]

④ 시민
市民

* 시민(市民) : 시에 사는 사람.

市 市 | 市 民

[시장 시, 巾부수, 총5획]

⑤ 주민
住民

* 주민(住民) : 일정한 지역에 살고 있는 사람.

住 住 | 住 民

[살 주, 人부수, 총7획]

⑥ 민속
民俗

* 민속(民俗) : 민간 생활과 결부된 신앙, 습관, 풍속, 전설, 기술, 전승 문화 따위를 통틀어 이르는 말.

俗 俗 | 民 俗

[풍속 속, 人부수, 총9획]

⑦ 민요
民謠

* 민요(民謠) : 예로부터 민중 사이에 불려 오던 전통적인 노래를 통틀어 이르는 말.

謠 謠 | 民 謠

[노래 요, 言부수, 총17획]

半

반
반
十부수
총5획

半 半 半

① 절반

折半

* 절반(折半) : 하나를 반으로 가름. 또는 그렇게 가른 반.

折 折 折半

[꺾을 절, 手부수, 총7획]

② 과반

過半

* 과반(過半) : 절반이 넘음.

過 過 過半

[지날 과, 辶부수, 총13획]

③ 반감

半減

* 반감(半減) : 절반으로 줆. 또는 절반으로 줄임.

減 減 半減

[덜 감, 水부수, 총12획]

④ 전반

前半

* 전반(前半) : 전체를 반씩 둘로 나눈 것의 앞쪽 반.

前 前 前半

[앞 전, 刀부수, 총9획]

⑤ 후반

後半

* 후반(後半) : 전체를 반씩 둘로 나눈 것의 뒤쪽 반.

後 後 後半

[뒤 후, 彳부수, 총9획]

⑥ 한반도

韓半島

* 한반도(韓半島) : 아시아 대륙의 동북쪽 끝에 있는 반도. 남북한을 달리 이르는 말.

韓 韓 島 島 韓半島

[나라 한, 韋부수, 총17획] [섬 도, 山부수, 총10획]

⑦ 남반구

南半球

* 남반구(南半球) : 적도를 경계로 지구를 둘로 나누었을 때의 남쪽 부분.

南 南 球 球 南半球

[남녘 남, 十부수, 총9획] [공 구, 玉부수, 총11획]

反

돌이킬 반
又부수
총4획

① 반대 反對

* 반대(反對) : 두 사물이 모양, 위치, 방향, 순서 따위에서 등지거나 서로 맞섬.

[대답할 대, 寸부수, 총14획]

② 찬반 贊反

* 찬반(贊反) : 찬성과 반대를 아울러 이르는 말.

[도울 찬, 貝부수, 총19획]

③ 반감 反感

* 반감(反感) : 반대하거나 반항하는 감정.

[느낄 감, 心부수, 총13획]

④ 반칙 反則

* 반칙(反則) : 법칙이나 규정, 규칙 따위를 어김.

[법 칙, 刀부수, 총9획]

⑤ 위반 違反

* 위반(違反) : 법률, 명령, 약속 따위를 지키지 않고 어김.

[어길 위, 辵부수, 총13획]

⑥ 반성 反省

* 반성(反省) : 자신의 언행에 대하여 잘못이나 부족함이 없는지 돌이켜 봄.

[살필 성, 目부수, 총9획]

⑦ 반복 反復

* 반복(反復) : 같은 일을 되풀이 함.

[회복할 복, 彳부수, 총12획]